文春文庫

狐の嫁入り

御宿かわせみ6

平岩弓枝

文藝春秋

目次

狐の嫁入り

師走《しわす》の月《つき》

一

日本橋馬喰町四丁目の茶問屋、東竜軒では、その日、畳替と襖《ふすま》の張り替えをいっときにやってしまおうというので、ちょっとした修羅場になっていた。

狭い庭に畳職人と経師屋《きょうじや》がそれぞれ、縄張りを決めた恰好で奥の部屋から畳や襖を運び出したり、戻したりしている。

ただでさえ、気ぜわしい師走のことであった。

主人の市右衛門が、店から五十両の金を持って来て袱紗《ふくさ》包にし、居間の違い棚の上にちょっとのせておいて手水場《ちょうずば》へ行き、戻って来てみると袱紗ぐるみ、五十両が消えていた。

「ここにおいた金を、誰か知らないか」

市右衛門の声で働いていた女中がとんで行き、店から番頭まで呼び出されて大騒動になるかと思えたのだが、やがて、市右衛門が、

「すまないことをした。わたしの思い違いだった……」

奉公人たちに頭を下げて、それっきりになった。

「お得意先のことをいっちゃあいけませんが、どうも、いやな気持のもので……金が間違いなく出て来たのなら、ようございますがね」

数日後の大川端の午下《ひるさが》り、裏庭に畳替の道具をひろげて、馴れた手つきで畳針を動かしながら畳刺しの職人が愚痴をこぼした。

鉄五郎といって「かわせみ」では、もう何年もこの畳屋に暮の畳替をまかせている、この辺りでは腕のいい職人である。

相手をしていたのは、「かわせみ」の女中頭のお吉《きち》で、

「旦那の思い違いで、別のところから出て来たんじゃなかったんですか」

午の弁当をつかうときに出してやった茶を下げに来て、そのまんま、日だまりにすわり込んだ。

このところ、晴天が続いていて、いつもより暖かな年の暮だといわれている。

「だったら、よろしゅうござんすが……」

「五十両ものお金、出ても来ないのに、思い違いだったですますわけがないじゃないの。いくら、大店《おおだな》でお金がうなっていたにせよ」

「へえ、そりゃそうなんですが……」

お吉の追及に、鉄五郎はたじたじという恰好で、抜きとった畳針を、ぽんと床へ投げ刺した。

「それとも、東竜軒さんじゃ、お金のなくなったことを表沙汰にしたくないわけでもあったのかしら」

流石《さすが》にお吉の気の廻り方は八丁堀育ちで、

「多分、そういうことじゃねえかと……」

鉄五郎は眼を白黒させて、それきり黙ってしまった。

「どういうことなんですかね。この年の暮に五十両もの大金が紛失したのに、内緒ですましちまったなんて……」

お吉が早速、女主人の居間へやって来ての報告で、

「鉄つぁんは、なんにもいわないの」

るいは仕立てかけの東吾《とうご》の袷《あわせ》を膝において、針に糸を通しながら訊いた。

「ええ、それっきり……あの人は律義だから、お出入り先の噂話をしたことで、気がとがめているみたいですよ」

「奉公人や、出入りの職人さんに、いやな思いをさせないためかしら」

「そんなことですむもんですか。五十両、なくなっているんですよ」

「少くとも、御主人は誰が五十両を盗んだのか、気がついたってこと」

「あたしも、そうじゃないかと思います」

おそらく、職人達が帰ってから、内々で金の詮議をしたに違いないと、るいもお吉も考えた。

「お店の恥を世間へ洩らすまいとしてでしょうけど、畳屋や経師屋の耳に入ってますからね。かくしたって、きっと噂にはなりますよ」

お吉はむしろ、それがたのしみという口調でいい、

「よしなさい、人様のお宅のことを……」

るいにたしなめられた。

中二日して、るいがお吉を供に浅草まで出かけたのは、亡き両親の墓まいりのためで、あまり押しつまらない中に、墓の掃除をしておきたいと思ったからである。

庄司《しょうじ》家の墓は、福富町に近い浄念寺という寺にあった。墓石を洗い、香華《こうげ》をたむけて合掌したるいの背後で、同じく手を合せながら、お吉は八丁堀時代を思い出したのか、しきりに涙を拭いている。

庄司家は代々、町方同心の家であった。町奉行配下の与力、同心は一代限りが表むきだが、実際には世襲で、子のない者は養子をむかえて家も職も相続させる。

だから、るいの父親が急死した際も、早急に然《しか》るべき聟《むこ》をとって、庄司の家を継がせることは、さして難しいわけではなかった。

実際、るいの周囲の誰彼がそうするように勧めてくれたし、聟になりたい、養子に行

ってもよいという者も少くはなかった。
だが、それらをすべて断って、自分は身一つで八丁堀を出た。
理由はいくつかあったが、その一つは、当時、すでにるいの心の中には神林《かみばやし》東吾とい
う想い人があったからである。
神林東吾は吟味方与力、神林通之進《みちのしん》の弟で、兄に子がないところから、将来、神林家
を継ぐものと八丁堀の誰もが思っている。
るいにしてみれば身分違いの相手である。無論、庄司家へ養子にこられる立場ではな
い。
そして、その状態は、るいが大川端の「かわせみ」の女主人になった今でも、少しも
変ってはいなかった。
墓まいりを終えた時、るいの表情は寂しくなっていた。女主人の心中がおおよそはわ
かっているお吉もしょんぼりして寺の門を出たのだが、足が金龍山浅草寺《せんそうじ》のほうにむい
たとたんに思い出したらしい。
「お嬢さん、つい、そこのお寺さんの前で、鉄つぁんの娘さんが甘いもの屋をしている
んですよ。ちょっと寄って休んで行きませんか」
土産に餡《あん》ころ餅を買っても行きたいという。
るいは苦笑して、お吉のあとから、小さな店へ入って行った。
鉄五郎の娘は、おたつといって、もう三十五、六だろうか、奉公人を二、三人使って

団子や餅菓子、汁粉などを売っている。陽気のいいときは店の外にも縁台を出して、近くの寺に参詣にくる客に、甘酒を商《あきな》ったりもしていて、結構、繁昌のようであった。

るいも、甘酒をもらって休んでいると間もなく餡ころ餅の包を持って、お吉が店の中から出てきた。

「いいこと、きいて来ましたよ」

歩き出すと、すぐに低声《こごえ》で、

「東竜軒の五十両の一件、犯人は娘さんだそうです」

るいはあっけにとられ、お吉の得意そうな顔を眺めた。

「そんなこと、誰に訊いたの」

「おたつさんですよ」

父親の鉄五郎は職人気質で、喋りかけた口を閉してしまったが、その娘のほうは、

「女ですからね。こっちがうまくもちかければ、いくらだって喋りますよ」

「鉄つぁんが、娘さんに話したのかしら」

「東竜軒のことなら、おたつさんのほうが地獄耳ですもの」

るいがわからない顔をすると、お吉はいよいよ鼻をうごめかした。

「お嬢さんは御存じないでしょうけど、おたつさんってのは、もと、東竜軒へ女中奉公していて、十年も前に御主人の市右衛門さんが金を出して今の店を持たせたんです」

つまり、奉公中に主人の手がついたという噂がもっぱらで、

「今だって、時々、東竜軒の御主人が通って来てるそうですよ」

市右衛門の女房は一人娘のおひでというのを産んで間もなく病死しているが、市右衛門は表むきずっと独り身を通している。

「あんたって人は、どうしてそう人様の噂話が好きなんだろう」

餡ころ餅を買うという口実で、本心は東竜軒の内輪話をききこみに行ったのかと、るいは機嫌を悪くした。

「いっときますけどね、うちはれっきとした堅気の商売なんだから、岡っ引の真似なんぞよしてちょうだい」

ぽんぽん叱りつけて、大川端へ帰ってくると、番頭の嘉助《かすけ》が帳場からとび出して来て、

「若先生がおみえになってますよ」

笑顔で告げる。

東吾はるいの部屋の炬燵《こたつ》に寝そべっていた。

「お帰り。墓まいりに行ったたって……」

入って来たるいを下から見上げて、

「そうと知ったら、俺もついて行けばよかった」

「番頭さんも気がきかない。からっ茶一杯ってことがあるかしらん」

「いや、俺が酒はるいが帰ってからにするっていったんだ」

「すみません。留守にして……」

そこへお吉が酒の仕度を運んで来て、

「申しわけありません、あたしが寄り道なんかしたもんですから……」

るいの顔色をみながら頭を下げる。

「待つってほど待ちゃしねえよ、どうしたんだ、馬鹿にしょげてるじゃないか」

そこは、お吉よりも更に聞き上手の東吾のことだから、酒の燗《かん》がつくまでに女二人から東竜軒の一件をするするとひっぱり出した。

「茶問屋の亭主が、妾に団子屋をさせているなんてのは面白いな」

「そんなふうにおっしゃるから、うちの人達、すぐ図に乗るんです」

叱言《こごと》の続きをいいながら、それでも恋人を前にして先刻の不機嫌はとっくにどこかに吹きとんでしまっているるいである。

「五十両、盗んだのは、娘なのかい」

盃を手にして東吾は屈託なく、

「大店の一人娘が、金に不自由してるってのはおかしかねえか」

「そこなんですよ」

お吉はすっかり調子づいて、

「悪い男がついてるんですって」

柳橋の船宿「河内屋」で働いている船頭で新三《しんざ》というのにかかわり合って、親の意見もどこ吹く風、東竜軒でもほとほと手を焼いているという。

「出来の悪い娘を持つと、親は苦労が絶えねえな」

東吾が呟《つぶや》いた時、帳場のほうから、客の到着したらしい声が聞えて、お吉は慌てて居間を出て行った。

二

その時、畝源三郎《うねげんざぶろう》は柳原通りを足早に歩いていた。

黄八丈の着流しに巻羽織、腰に大小、朱房の十手という八丁堀独得の風体で、小者一人を供につれて、並みの人間では真似が出来ない速さで肩で風を切って行く。

暮の江戸の町は大小さまざまの事件が多かった。押し込み、強盗の類は別としても、貧苦のためにかっぱらいをやったり、出来心で万引を働いたなどというのが、行く先々の番屋に留められている。そうした些細な事件を手ぎわよく裁いて行くのも、定廻《じょうまわ》りの才覚であった。

神田川の岸の柳並木はあらかた葉が落ちていて、それだけでも寒々としてみえるのに、川風がひどく冷たい。

浅草御門を左に、馬喰町を右にみて、やがて柳橋というあたりで、いきなり、男がとび出して来た。そのあとからもう一人、右手に抜き身を持って、白昼、なんとも容易ならぬ恰好である。

逃げて来た男は、源三郎を認めると、むこうから大声で叫んで近づいた。

「旦那、助けておくんなさい」

　いわれるまでもなく、源三郎はそっちへ走っていた。若い男をやりすごしておいて、追いかけて来たの正面に立つ。

「どいてくれ。どいて……」

遮二無二《しゃにむに》、通り抜けようとするのを軽くはずしておいて、相手の右手を逆にとると、

「痛い、なにをなさるんですか」

相手は意気地なく悲鳴をあげた。

抜き身はすでに源三郎が奪いとっている。

「おい、そっちのも連れて来い」

小者に声をかけておいて、源三郎はすでに抵抗力を失っている相手を近くの番屋までひっぱって行った。すぐあとから、小者が逃げて来た若い男を伴ってやってくる。

昼日中のことで、忽《たちま》ち番屋の前に人だかりがするのを追っ払わせて、源三郎は二人の男を眺めた。

逃げて来たほうは二十二、三だろうか。このほうが追って来たのよりも筋骨たくましく、上背のある、ちょっとした男前である。風体からみて、場所柄、船頭と見当がつく。

もう一人はみるからに大店の主人で、人品骨柄《じんぴんこつがら》卑しくもない分別盛りの年配が、なにに逆上して脇差などを持ち出したのか、

「お手数をおかけ致しまして、まことに申しわけございません。手前は馬喰町四丁目、

茶問屋東竜軒の主人で、市右衛門と申します」

流石にいくらかの落ちつきは取り戻したとみえ、青ざめた顔で力なく手をついた。

「それほどの大店の旦那が、なにを血迷って世間をさわがすんだ。あんまりお上に厄介をかけるもんじゃねえぜ」

番太郎にいいつけて渋茶を汲ませ、市右衛門の前においてやると、市右衛門は慄《ふる》える手でそれを取り上げて飲み、改めて眼を怒らせた。

「そいつは悪党でございます。娘をたぶらかし、金を盗み……殺してもあき足らない極悪人でございます」

「よせやい」

若い男は落ちついて苦笑した。

「さっきから何度もいったろう。俺はただの一度もおひでちゃんに金をくれといったおぼえはねえんだ」

「この悪党」

市右衛門が腰を浮かした時、番屋の外で派手な女の声がした。

「新さんに会わして……新さんに……」

小者の制止もきかばこそ、がらりと表の障子をひきあけて、まだ結いたてらしい、緋鹿の子の娘が、いきなり土間へころげ込んで来た。

続いて、

た。

「旦那様……旦那様、御無事で……」

東竜軒の番頭、佐兵衛と手代の久次郎というのが、血相変えて市右衛門にすがりつい

そこまではともかくとして、源三郎が驚いたのは、次の娘の言葉であった。

「お父つぁん、新さんになにしたんですか。もし怪我でもさせたら、あたし、お父つぁんを許さない……」

「娘なんか持つもんじゃないと、つくづく思いましたね」

畝源三郎がなかば真顔で呟いたのは、「かわせみ」のるいの部屋で、東吾と男同士の差し向い、傍ではるいが夜食のうどんを長火鉢で煮込んでいる。

「女房もねえくせして、娘なんぞ持つもんじゃねえとは、源さんもよくいうよ」

東吾が笑い、るいは眉をひそめた。

「血を分けた実の娘からそんなふうにいわれて、東竜軒の御主人はさぞ、つらかったでしょうねえ」

「つらいにも、口惜しいにも、父親は泣いていましたよ」

それにしても、新三という若い男は度胸がよくて、取調べを終えて、市右衛門が番頭、手代ともども番屋を出る段になって、父親とは一緒に帰らないと泣き叫んでいる娘へむかっていうには、

「お前さんがそこでぎゃあぎゃあわめいていると俺の立場が一層、悪くなるんだ。今日のところは、お父つぁんと素直に家へ帰ってくんな」

その一言で娘は番屋を出て行ったという。

「女ってのは、惚れた男に弱いからなあ」

るいをみて、東吾がやに下り、るいはそんな東吾を無視して、源三郎に訊いた。

「新三って人、そんな悪党なんですか」

「船宿できいた限りでは、酒もやらず、客の評判はむしろいいんだそうで、ただ惜しむらくは女癖がよろしくない。あっちこっちに色女がいるし、又、どういうわけか、女のほうでのぼせてくるんだそうで……」

「羨しい野郎だな」

「男からみると、どうという奴じゃありませんがね」

とぼけたところのある面白い奴だが、頼りない。

「女の人には、そういうのがいいのかも知れませんよ」

るいがいい、東吾は盃で自分の鼻の先を指した。

「俺のようにか」

「たしかに、東吾さんと一脈、通じるものはありますな」

源三郎は笑いもしないで、

「しかし、親にしてみたら、たまりますまい。大事に育てた娘が女たらしに惚れて、店の金を持ち出す、親には楯を突く、みすみす欺《だま》されているとわかっていてどうすることも出来ない、父親がかっとして脇差をふり廻す気持も無理とはいえません」

「お上のほうで、新三って人をどうにかすることは出来ないんですか」

「今のところ、なんとも。娘が男に惚れて勝手に自分の家から金を持ち出しただけでは、罪にはなりませんからね」

長火鉢の上で土鍋からあたたかそうな湯気が上るのを眺めながら、律義な八丁堀の旦那は軽い吐息をついた。

一夜あけて、「かわせみ」の庭は霜柱でまっ白になるほどの寒気だったが、陽が上るにつれて気温も上って、穏やかな冬の日になった。

朝の中、なにか考えていた東吾が、るいを誘ったのは午近くなってからで、

「ちょっとお節介な気もするが、柳橋まで行ってみないか」

こういう場合、るいは、

「何故」

と訊かなかった。亭主の好きな赤烏帽子《あかえぼし》で、黙っていそいそと身仕度をする。

柳橋までぶらぶら歩いて行って、途中、暮の買い物を少々、ついでに蕎麦屋《そばや》で腹ごしらえをしてから、船宿河内屋へ行った。

大川端までと舟を頼み、船頭は新三と名指しにすると、船宿の女房がこっちの様子をみていたが、別になにもいわないで二階へ声をかけた。

下りて来た新三はてきぱきと舟の仕度をした。さりげなくそっちをみていたるいがそっと東吾の耳にささやいた。

「別に、どうって人じゃありませんよね」

「俺のほうが、ずっと男前だな」

たしかに眼鼻立ちはととのっているが、役者のような美男ではない。童顔で、女には安心を持たれる顔といったほうがいいかも知れなかった。

だが、いざ舟に乗ろうという時、るいはどきりとした。踏板を渡って舟に移る際に、新三が手をさしのべてくれたのだが、ぐいと強くるいの手を摑んだ男の力になんともいえない情感がある。船頭が客の手をとって舟に乗せるのは誰でもやることだが、こんな摑まれ方をしたのは、はじめてであった。思わず相手の顔を見ると、新三はひかえめな微笑を浮べてるいの手を放した。

「どうしたんだ、ぼうっとしてるじゃないか」

先に置き炬燵の前にすわった東吾が不思議そうにいったが、るいは返事をしなかった。

この感覚は、言葉で説明が出来ない。

「すまないが、ゆっくりやってくれないか。ちょっと、話がききたいんだ」

舟が大川に漕ぎ出してから東吾が声をかけると、新三は別に驚いたふうもなく、

「それじゃあ、岸に寄せましょう」

という。たしかに、柳橋と大川端では目と鼻の先だし、川下へ向って行くのでは、あ

っという間に着いてしまう。

新三は器用に竿を使って舟を岸辺に舫《もや》った。

そこは土手の下で丈の高い葦《あし》が茂っていて、岸のほうからは人が近づけない。

「うまい場所を知っているんだな。東竜軒の娘と媾曳《あいびき》するのも、ここなんだろう」

艫《とも》にしゃがんで煙草の火をつけていた新三は、悪びれた様子もなく苦笑した。

「八丁堀の旦那のようには、みえなかったがな」

「俺は、そんなおっかねえんじゃねえ。こないだ、お前が厄介になった旦那は、俺の友達だが」

「左様で……」

「女にもてるのは結構だが、この年の暮に五十両はちっと派手だったな」

新三は川面《かわも》をみていた。葦の間にひたひたと川波が寄せている。陸の上の暮のせわしさも、ここは無縁であった。

大川の上に長く枝をのばした大樹のしげみで、なんの鳥か、よく啼《な》いている。

「あんなに負けがこんでいるとは思わなかったんでさ」

ぼんのくぼに手をやって、新三は子供が悪戯《いたずら》をみつかった時のような表情をした。

「博打《ばくち》か」

「好きってほうじゃありませんが、たまに仲間のつきあいがありますんで……」

「お前、育ちは悪くなさそうだな」

それは、るいも感じていたことであった。根っからの船頭にしては行儀がいい。

「親のことは勘弁して下さい。とっくに縁が切れてますんで……」

「その口ぶりじゃ、満更、親の気持がわからねえでもなさそうだが、東竜軒の親父《おやじ》に刃物をふり廻されて、どう思った……」

「ま、あんなものでござんしょうねえ」

肩をそびやかすようにして、ちらとるいをみる。

「手塩にかけて育てた娘を汚されて、腹を立てねえ親父はありゃしません」

「素人は、東竜軒の娘が、はじめてか」

「そんなこともねえと思いますが……」

「おひでって娘をどう思う」

例えば、親が許すとしたら、晴れて夫婦になる気はあるのかという東吾の問いに、新三は船ばたで煙管《きせる》をはたいた。

「冗談はいいっこなしにしましょうや」

東竜軒ほどの大店が、船頭風情に娘をくれるわけがない。

「娘が勘当されても、お前と添いとげるといったら……」

「まあ、おことわり申しますね」

新三の返事はからっとしていた。

「おひでさんはかわいい女だが、金持の我儘《わがまま》娘にあっしらの暮しが三日と出来るわけがありません。先はみえてますんで……」

「夫婦になる気がなくて、どうして素人娘に手を出した」

「そいつは神様にでも、きいてみねえと……」

「悪い野郎だな、お前……」

うっすらと新三が笑った。

「そいつは、はなっから決ってまさ」

「野暮をいうようだが、添いとげる気がないなら、なるべく早くに娘に引導《いんどう》を渡すことだ。五十両もまき上げりゃ、文句はあるまい。下手をすると、東竜軒の親父にどてっ腹、えぐられるぞ」

「あっしも考えてはいるんですが、おひでって子は思いつめるたちで……怖いものなしに育った娘は、おっかねえんでさ」

「心中でも持ちかけられるってことか」

「まさか、ね」

ゆっくりと竿をひき抜いた。その竿を使って舟を岸から離す。

「姿がみえなくなるのが一番なんでさ。人間、どんなに惚れたといっても、相手が消えちまえば、それまで……月日が経てば、思い出って奴もずんずん薄くなって、きれいさっぱりなくなっちまう。そんなもんでさあ」

川へ出ると、大川端までは僅《わず》かであった。

舟を下りる時、るいはいつもより余分の酒手《さかて》を新三に握らせて、ふりかえりもしないで東吾に寄り添って行った。

三

暮の二十八日に、東吾は狸穴《まみあな》の方月館へ餅つきに出かけて行った。

方月館では、この日、正月の餅をつき、又、つきたての餅に餡やきな粉をまぶしたのを日頃、世話になっている近所へくばる。

今年は、いつも下働きの善助が一人でやっていた捏《こ》ね取りを、おとせが交替して、

「おかげで、今夜は腰が痛まないで済みそうです」

と善助を喜ばせた。

女の姿が一人まじっているだけで、杵《きね》をとるほうも張り合いがあるのか、いつもの年より五臼も余分についてしまって、

「こんなに沢山、どうしましょう。お正月中かかっても食べ切れませんよ」

おとせも久しぶりに、はしゃいだ声をたてている。

夜はつきたての餅をたらふく食べて、正吉に正月の約束をあれこれしてやって早寝をしてしまったが、翌日、八丁堀へ帰ってくると、

「先程、畝源三郎様より使が参りまして、東吾様がお帰りになったら、柳原の番屋までお越し頂きたいとのことでございます」

神林家の用人が鹿爪らしい顔で告げる。

その足で柳原へ行ってみると、

「若先生、東竜軒の主人がやられました」

源三郎のところの小者が待ちかまえていて、

「旦那は、東竜軒でございます」

という。

馬喰町四丁目の東竜軒は大戸を下していた。

店の前に、暮の忙しいさなかだというのに近所の連中が集って、なにやら噂話をしている。

裏へ廻ってみると、このあたりの岡っ引の金八というのが突っ立っていて、

「若先生、よくお出で下さいました」

いそいそと寄ってくる。

「あんまり、よくも来ねえが、東竜軒の主人はどうなんだ」

てっきり殺されたと思って来たのだが、

「今、お医者がついてまして……かなりな深手ですが、ひょっとすると助かるかも知れねえって話で……」

声が聞えたのか、源三郎が出て来た。

「東吾さんにお出まし願うほどのことではないと思ったのですが、新三の奴が、何日か

前に話をきいてもらったと申しますので……」

「あいつが殺《や》ったのか」

「当人は違うといっています」

「ここの主人は……」

「思ったよりも気丈で、襲われた時の情況などははっきり話しましたが、なにしろ、暗闇で、いきなり背後から突っかけられたので、相手の顔はみていません」

事件があったのは、前夜、といっても、もう間もなく夜あけになろうという刻限だという。

「なんだって、また、そんな時刻に……いったい、どこで……」

場所は柳橋を渡って、両国広小路へ出てくるあたりで、

「市右衛門は、娘を探しに行って、新三と話し合っての帰りだというんですよ」

奥の部屋から薬を煎じる匂いが流れて来た。

家の中は、ひっそりして番頭や手代が奉公人になにかをいいつけるらしい声もしめりがちである。

障子があいて、娘がこっちへ出て来た。

髪は乱れ、眼が血走っているが、品のよい、愛らしい商家の娘という印象であった。

顔も体つきも、まだ子供子供している。

あとから番頭が心配そうについて来ている。

「主人の容態が一応、落ちついたと、お医者が申しますので……」

あらかじめ、源三郎がおひでに昨夜からの様子をききたいといってあったようである。

娘は今まで、父親の枕許につきそっていたらしい。

「お役人様におうかがい申します。新三さんにお疑いがかかっているというのは、本当でございましょうか」

血の気のない顔が、ひきつったようになっていた。

「新三から、昨夜の話はきいたが……」

源三郎が穏やかに、

「まだ、あいつが殺《や》ったかどうかはわかっていない」

「あの人じゃありません。あの人がお父つぁんを殺すわけがないんです」

「そう思ったら、落ちついて、俺の訊くことに返事をしろ」

女嫌いが、若い女を前にして、なかなかやるもんだと、東吾は興味をもって眺めていた。

おひでは体を固くして、うつむいていた。

まだ世馴れない十八の小娘が、恋に狂ったばかりに父親が瀕死《ひんし》の重傷を負い、恋人に容疑がかかっているとあっては、その心中は地獄の苦しみに違いない。

「昨夜、お前が新三に逢いに行ったのは、あらかじめ約束が出来ていたのか、それとも、むこうから呼び出しが来たのか」

おひでがかぶりをふった。

「どちらでもございません。私が新さんに逢いたくて、河内屋へ参りました」

「何刻頃のことだ」

「丑《うし》の刻（午前二時頃）をすぎて居りました」

源三郎がうなずき、娘の話をうながした。

「河内屋へ参りますと、ちょうど、新さんが舟で帰って来たところで……」

「媾曳は舟ん中だろう」

東吾がひょいと口をはさんだ。

「舟をとめたのは、薬研堀《やげんぼり》に近い、大きな木の下あたりだな」

娘は慄えながら頭を下げ、源三郎が苦笑した。

「市右衛門の話では、お前が家を抜け出したのを知って河内屋へ行き、舟を出させたそうだが、それから先のことを話してくれないか」

おひでの肩が又、ひとしきり慄えた。

「お父つぁんが舟に移って来て、新さんと話をしました」

「どんな話だ」

「新さんは、あたしと別れるっていったんです。もともと添いとげられるものではないし……別れるのがおたがいのためだって……」

泣きじゃくりが語尾を消した。

「口論になったのではないのだな」

「お父つぁんは、新さんのいうことをあんまり信用していないみたいでした。でも、昨夜は、なんにもいいませんでした」

舟は新三が漕いで、河内屋へ戻り、

「そこに番頭さんが待っていて、あたしは番頭さんと家へ帰りました。お父つぁんは新さんに少し、話があるといって……」

傍から番頭も肯定した。

「左様でございます。旦那様は、あの男の気持をもう一つ、たしかめたいとおっしゃいまして、河内屋へお残りになりましたんで……」

番頭の佐兵衛は、おひでと馬喰町四丁目の東竜軒へ戻って来たが、

「あんまり、旦那様のお帰りが遅いので、手代の久次郎をお迎えにやりまして……」

馬喰町四丁目から柳橋の河内屋までは、ほんの一走りで、提灯《ちょうちん》を下げて出て行った久次郎が、下柳原同朋町《どうぼうちょう》の手前で、路上で苦しんでいる市右衛門をみつけ、それからが大さわぎになった。

四

「東吾さんは、どう思いますか」

東竜軒に岡っ引の金八を残して、源三郎と東吾と、大川端の「かわせみ」へ戻って来

ての話である。

「新三は、なんといっているんだ」

「市右衛門から十両の金を貰ったそうです。今後、一切、おひでには手を出さない。柳橋からよそへ行ってくれという約束でしてね。まあ、手切金とでもいいますか」

「新三は、俺にも別れることをほのめかしていたよ。あいつは女たらしの甘ったれだが、人殺しをするような奴には思えなかった」

「おひでに、本気で惚れていたら、どうですか。邪魔な父親をいっそという気にはなりませんか」

「そんな荒っぽいことをしなくとも、新三が連れて逃げる気になれば、おひではついてくるだろう。東竜軒は世間体がある。現に五十両の紛失だって、うやむやにしたくらいだ。まず、かどわかしで訴えられることはないだろう」

新しい徳利の燗をしながら、るいがちょっと首をかしげるようにして訊いた。

「手代の久次郎って人は、大丈夫なんですか。たとえば、なにかで御主人を怨んでいるとかして、迎えに行ったついでにってのもおかしいですけれど……」

「一応、東竜軒の奉公人と出入り先は、金八が調べていますが……」

「るいも、新三を下手人にしたくねえんだよな」

源三郎に酌をしてやりながら、東吾が笑った。

「新三の奴、器量だってたいしたことはねえし、気風《きっぷ》だってどうってことはねえのに、なんで、あいつがもてて、俺達がもてねえのか、不思議だと思わないか、源さん」

盃を一息に干して、源三郎が相槌を打った。

「全くですな、世の中、狂ってますよ」

るいはくすっと笑ったきりで、なんにもいわない。

嘉助が来たのは、そんな時で、

「若先生がおみえの時に、こんな世話を申し上げに来ちゃいけませんが……」

畳替をどうしようかという話であった。

「鉄つぁん、病気でもしたの」

「いいえ、怪我らしいんで……そんならそうと誰か使でもよこせばいいものを、黙って仕事を休むから、こっちから様子をみにやらなけりゃなりません。この暮のいそがしい時に、どうも、鉄つぁんらしくないことで……」

やりとりをきいていた東吾が部屋を見廻した。

「畳替はすんだんじゃなかったのか」

新しい畳の香がしている。

「ここはすんだんですけどね。まだ、二階が残ってるんですよ」

宿屋商売のことで、一ぺんに畳替をしては客に迷惑をかける。

「暮は、そんなにお客様が多いわけじゃありませんから、空いてる部屋から毎日、少しずつ、片づけてもらっていたんですけど……」

今日は畳職人が無断で休んだ。

「怪我って、いったい、どんな……」

「肘《ひじ》をどうかしたそうで、畳職人にとって肘が使えないんじゃ、どうにもなりません」

「他の畳屋、今から頼めるかしら」

「早速、明日にでも、他をさがしてみますが……何分にも押しつまっていますので……」

それでなくとも、この節は腕のいい職人が少くなっていると、嘉助はしぶい顔をしている。

「俺が、明日、うちの出入りを訊いてやるよ。なんとかなるだろう」

月のなかばに、神林家も畳替をしている。

「そんなこと、いけません」

「いいよ。女房が困ってる時に、亭主がなんとかするのが当り前だろう」

ところで、源さんのところは畳替がすんでいるのか、と東吾が訊き、源三郎が首をひねった。

「畳替というのは、毎年、するものですか」

「当り前だ。だから、男やもめは仕方がねえ。源さん、今年はもう無理だが、来年は必ず、かみさんを探して来いよ」

酒が廻ると、きまって肴《さかな》にされるのはそのあたりで、源三郎は飯も早々に、八丁堀へ逃げ帰った。

中一日おいて、「かわせみ」に新顔の畳屋が来た。

「神林様から承りまして参りました」

丁寧な挨拶で早速、仕事にかかる。午すぎには東吾がやって来た。

「どうだ。来ただろう」

さも、わかったような顔で畳替の仕事を眺めている。

「申しわけございません。若先生にとんだことをお耳に入れてしまいまして……」

あとでるいから叱られたと、嘉助は恐縮している。

「なあに、ここが終ったら、源さんのところへ行くことになってるんだ。あいつだって、正月ぐらい、青畳の上でのんびりさせてやりたいからな」

女房と畳は新しいほうがいいというが、あいつは古女房もないんだからと大笑いしかけた東吾が途中で笑いをのみ込んだのは、るいの姿をみかけたからで、

「そういやあ、鉄って職人は、なんで肘なんか怪我したんだ」

うまいこと、肘を使って畳替をしている職人の様子をみながら、話題を変えた。

「へえ、実は昨日、鉄つぁんのところの若いのが詫《わ》びに来ましたんで、いろいろ訊いてみましたところ、刃物で肘を切ったようなんで……悪くすると筋を痛めているんで、治っても、前のようには仕事が出来なくなるかも知れねえってことで……」

「肘とは、変なところを切ったもんだな」

「まあ、はずみかなんかでございましょうがね」

傍に来ていたるいが、口をはさんだ。

「鉄つぁんも年だし、いい娘さんがいるから、働かなくたって暮しには困りませんよ」

「娘は、なにしてるんだ」

「浅草で甘いものの、ちょっとした店を出しているんですよ。娘っていったって、もう三十五、六ですけれど……」

「亭主はいないのか」

「ええ、それが……」

いいよどんで、るいは小声になった。

「お吉の話だと、東竜軒の旦那が、そうなんだっていいますけどね」

「東竜軒の妾なのか」

「大きな声でいわないで下さい」

裏庭から居間へ戻ってくると、お吉が火鉢に炭を足している。

「鉄五郎の娘が、東竜軒の妾だって……」

東吾は遠慮のない声でいい、お吉は、

「人の噂話をすると、お嬢さんに叱られるんですけどね」

一応はしりごみしてみせるくせに、そこはもう喋りたくてたまらないところだから、

「おたつさんっていうんですよ。東竜軒へ女中奉公していて、旦那のお手がついたんです」

市右衛門の女房はすでに病死していたが、

「店においとくわけには行かないんで、浅草に店を出させたって話ですよ」

「後添えにするつもりはないのか」

「女中上りじゃ外聞が悪いんじゃありませんか。それに、お嬢さんに継母が出来るのがとかく厄介のもとになるといって、後妻はもらわない方針だって、旦那がいってなさるとか、いつか、鉄つぁんが話してましたよ」

「鉄ってのは、律義な職人だっていってたな」

ふっと、東吾が考え込んだ。

「子供は、娘一人か」

「ええ、そうです」

「一人娘が妾になったのをどう思ってる」

「喜んではいないみたいですねえ」

お吉がもったいらしく、

「鉄つぁんは腕のいい畳職人ですから、別に暮しに困るわけじゃありません。東竜軒へおたつさんを女中奉公にやったのも、いってみれば、嫁入り前に一通りのことを仕込んでもらいたかったからでしょう。それが、旦那のお手がついちまって、おたつさんが一生、日蔭の体で肩身のせまい思いをしているんですから、あんまり嬉しかないでしょうね」

「そうだろうな」

るいの入れた茶をゆっくり飲んでいて、東吾が急に立ち上った。

「鉄五郎の家は、どこだ」

「平右衛門町ですよ」

「柳橋のむこっ側だな」

ちょっと源さんのところまで行ってくるといい、とび出して行った東吾の後姿を、るいは怨めしそうに見送って、お吉に八つ当りをした。

「お前が、ろくでもないお喋りをするから」

東吾と源三郎が馬喰町の東竜軒へ行ったのが夕方で、ちょうど医者が帰りかけているところであった。

市右衛門の容態はかなりよくなっていて、もう生命に別状はなかろうということであった。

「なんのかのといっても、やっぱりいい娘さんですよ。夜も寝ないで看病をなすって、御病人もそれがなによりの力になったようで」

医者が源三郎にそんな報告をしたあとで、病間へ通ってみると、成程、おひでがげっそりやつれた顔で父親の口に重湯を飲ませてやっている。

「一つだけ、じかに聞きたいことがあるのだが……」

柳橋の河内屋を出てから、寄り道をしなかったかという源三郎の問いに、市右衛門がかすかに合点をした。

「途中、提灯の火を消してしまいまして……」

「平右衛門町の鉄五郎のところで、火をかりたのか」

「左様で……」

「なにか話をしたのか」

「新三との手が切れたので、まあ、これで娘も日蔭者にならずにすんだ。いずれいい聟《むこ》をみつけて幸せにしてやりたいと、そのようなことを……」

不安そうに父娘が見守るのに、源三郎は軽くうなずいた。

「それでいい……ゆっくり養生するがよいぞ」

東竜軒を出た足は、すぐに平右衛門町に向った。

金八が途方に暮れた顔でついてくる。

「鉄五郎に限って……そんな奴じゃありません。あの爺さんは虫一匹、殺せねえような信心深い人柄でして……」

どう間違っても、市右衛門の背中に刃物を突き立てる男ではないと金八は不服そうだったが、

「ごめんよ、鉄つぁんはいるかい」

もう夕暮の濃くなっている平右衛門町の鉄五郎の家の表戸を叩いてみたが、返事がない。

「湯にでも行ったんじゃありませんかね」

一人暮しの筈であった。

表戸を開けると、土間には畳表などが積んであって、上りがまちの障子は閉っている。

「留守ですね」

金八が無造作に障子を引くと、外よりもひんやりした空気が三人の顔にかかった。

湯に行くのに火の始末をして行ったにせよ、この部屋の冷え具合は只事ではなかった。

少くとも、丸一日以上、家の中に火の気がなかったと思われる寒さであった。

「源さん」

東吾が指し、源三郎が顔をひいた。

薄暗がりに、黒いものがぶら下っている。

台所と居間の間の鴨居に、鉄五郎は麻の紐を首にかけて死んでいた。

「こりゃあ、覚悟の首くくりだな」

あたりを見廻して東吾がいったように、やがてまた検死の医者のみたところでも、自殺であった。

首に数珠《じゅず》をかけ、懐には死んだ女房の位牌を抱いている。

無筆のことで遺書はなかったが、知らせを受けて駈けつけて来た娘のおたつの話で、鉄五郎が二日前の夕方に、浅草の娘の家を訪ねていることがわかった。

「肘に怪我をしたって……なんだか蒼い顔をして、元気がなくて……うちにいたのは小半刻（一時間）かそこいらでしたけど、お前にすまねえことをしたって何度もいいました。あたしは、肘に怪我をしてお得意様をしくじったんだと思っていたんです。御膳を食べて行かないかといったら、食べたくないからって……」

どうして首なんぞくくったのかと、遺体にとりすがって泣いている。

金八が家の中を調べてみると、押入れの中に手拭にくるんで、血に染った出刃庖丁が突っ込んであるのがみつかった。

「鉄五郎は一人娘が妾にされたことで、市右衛門を怨んでいたんだな」

相手が大店の主人では表むき、苦情もいえない。娘はあきらめて、運命に従順であったが、父親としては、長いこと、怒りが腹の中でくすぶり続けていたものだろう。

「たまたま、あの夜、市右衛門は河内屋を出たところで提灯の火を風に消されてしまった。つい近くに、鉄五郎の家がある。妾の父親だから夜更けに叩き起すのも、そう遠慮がなかったんだろう」

鉄五郎は起きて来て、市右衛門のために提灯の火をつけた。

その時に、東竜軒の主人は、娘が新三と手が切れた嬉しさに、つい、よけいなことをいった。

「これで、娘も日蔭者にならなくてすんだ。いずれ、折をみて、よい聟をみつけて幸せにしてやりたい」

父親の本音だったが、娘をその男の妾にされている鉄五郎には理不尽に聞えた。

人の娘を日蔭者にしておいて、自分の娘は晴れて幸せな女房にしてやりたいとうそぶいているような相手に、鉄五郎の堪忍袋がふっと切れた。

「帰って行く東竜軒のあとから、出刃庖丁を摑んでとび出したんだろう」

柳橋を渡ったところで追いついて、夢中で背後から突きかけた。

「もともと、大それたことの出来る男じゃない。市右衛門が声をあげて倒れるのをみて、腰を抜かして逃げ帰ったんだ」

肘の怪我は、おそらく庖丁を抜いたはずみに自分もころげて、その時、自分の腕を傷つけたか、市右衛門ともみ合った際についたのか。

「東竜軒の御主人は、下手人が鉄つぁんだってこと、気がつかなかったんでしょうか」

「よもやと思っていただろう。市右衛門のほうは鉄五郎がおたつのことで、自分を怨んでいるとは夢にも思っていまい」

金持の思い上りというか、気のつかなさというか、自分より身分の低い者の気持に無頓着である。

「東竜軒の主人だけのことじゃねえがな」

市右衛門が死んだわけではなし、助けてやる道がなかったのでもないのに、律義な職人は自分の罪を背負い切れなくなって、首をくくった。

「源さんが気を使ってやって、首くくりの理由は、肘を怪我して仕事が出来なくなったのを苦にしてやったんだと、世間体をとりつくろってやったんだ。せめて、鉄五郎の供養になるだろう」

無論、娘のおたつも、東竜軒の主人も真相は知らされていない。

「そういや、新三が河内屋からいなくなったそうだ」

東吾の言葉に、るいは思わず顔を上げた。

「どこへ行ったんですか」

「さあ、誰にもなんにもいわねえで、ひょいとどこかへ行っちまったらしいぜ」

「東竜軒のおひでさんは、どうしてますかしら」

「神妙に父親の看病をしているそうだよ。まあ、暫《しばら》くは涙をこぼすだろうが、その中、忘れちまうんだろうなあ」

月日が経てば、思い出なんてものは、ずんずん薄くなって、きれいさっぱり消えちまうものだといった新三の言葉を、東吾もるいも思い出していた。

「いやな野郎にゃ違えねえが、もう一つ、憎めない奴だったたな」

東吾が立ち上って、障子を少しだけ開けてみた。

大川の上に、師走の月は晦日《みそか》にむかって、痩《や》せはじめていた。

迎春忍川《げいしゅんしのぶがわ》

一

正月三日、江戸は上野の護国院の大黒参りで賑わっていた。

空には鶴が二羽も舞っていて、時折、甲高い声で啼《な》く。寒気はまだ厳しいが、日ざしは明るく、この上もない正月日和であった。

護国院では、この日、大黒天に供えた餅を湯にひたして、その湯を参詣人に飲ませるので、大黒の湯とも御仏供《おぶく》の湯ともいわれるその一杯を頂けば、この一年を無病息災で過せると信じている善男善女が、ひっきりなしに上野の山へ上ってくる。

「なにが有難くって、正月早々、人がこうぞろぞろと集ってくるのかねえ」

あたりを憚《はばか》らぬ大声は、大川端「かわせみ」の老番頭、嘉助で、

「大黒の湯だ、御仏供の湯だっていったって、仏さんに供えて埃《ほこり》だらけになった餅をひ

たした湯ってわけでござんしょう。そんな埃くさい湯を飲んだからって御利益《ごりやく》があるとは思えませんねえ」

そのへらず口を慌ててお吉が手で押えた。

「およしなさいよ。大黒さんに聞えたら罰が当るじゃありませんか」

「かまやしないよ、どうせ。大黒さんがお考えなすったことじゃねえ。大黒さんをだしにして銭儲けをやらかそうって連中の悪智恵なんだから……」

「人聞きの悪い……お詣りの人が睨《にら》んでますよ」

二人のあとから、るいの手をひかんばかりにして上って来た東吾が笑いながら声をかけた。

「そう突っぱるなよ、嘉助。正月ぐらい女子供のいいなりになってるほうが、めでたいぜ」

「そうですよ。番頭さんだって年だから、せいぜい長生きさせようと思って、連れて来たのに……」

お吉は人をかきわけるようにして本堂へ上って行って、るいから渡されていた御供料の包とひきかえに、受付の僧侶から一番先に大黒の湯を頂いて飲んだ。

「さあ早く、お嬢さんも、番頭さんも……」

るいはともかく、渋々という顔で嘉助が湯の入った椀を手にした時、すぐ隣で御仏供の湯を飲んでいた連中が一せいにふりむいた。つられて嘉助も東吾もそっちをみる。

人々の視線を集めているのは、若い女であった。今、上って来たばかりらしく、少々、息をはずませるようにして本堂の軒下に立っている。

年齢はせいぜい十八、九、初々しいほどの大丸髷《まるまげ》で、正月らしい梅の柄の小紋に、緞《どん》子《す》の帯をゆったりと締めている。

「いい女だなあ」

東吾が思わず呟《つぶや》き、嘉助が年甲斐もなく生唾《なまつば》をのみ込むようにした。

色はやや浅黒いが、匂うような眼鼻立ちであった。

なによりも蠱惑《こわく》的な眼と、不思議な色気のある口許が人目を惹きつけずにはおかない。

柱のかげから初老の男が、女を呼んだ。年からいうと親子のようだが、並んで本堂の奥へ入って行く姿は父娘ではない。

「なにを、ごらんになっていらっしゃるんですか」

るいの声が耳許で聞え、東吾は少し狼狽して苦笑した。

「いや、初詣だけあって、随分、いろんな奴が来ているな」

「とかなんとか、他のお内儀《かみ》さんに見とれてお出でだったくせに……」

いつの間にか、お吉までが傍に来ていた。

「若いのに、色っぽい人ですねえ」

女二人がちらと顔を見合すのを眼にして、東吾と嘉助は早々に護国院の境内をとび出した。

それだけなら、初詣の雑踏で美人をみかけて眼の保養をしたという他愛のない話で終ってしまうところだったのに、それから二日ばかり後の午下《ひるさが》りに、前日から狸穴《まみあな》の方月館へ年始に行った東吾が八丁堀の屋敷へ戻ってくると、珍しく兄の通之進が廊下に突っ立っている。東吾をみると、この謹厳な兄が、ひどく悪戯《いたずら》っぽい表情になって、

「おい、あれをみろ」

と顎で指す。

中庭のむこうが、ちょうど香苗《かなえ》の居間で、若い女客が手代らしい男を従えて、香苗に見送られて帰って行くところであった。

小柄だが大輪の花が咲いたような、あでやかな若い女の顔に東吾は見憶えがあった。

上野の護国院でみかけた美女である。

「兄上でも、女の顔に見とれることがあるのですか」

通之進のあとから座敷へ入りながら、東吾が笑うと、通之進は冗談らしく手を振った。

「大きな声を出すな、香苗に聞えるぞ」

「何者です、あの女」

「気になるなら、行って聞いて来い」

「うかがって来ます」

廊下をまがって、義姉《あね》の部屋まで来ると、香苗は客を送って戻って来たところで、

「ちょうどよかった。東吾様にみて頂きたいものがございますの」

香苗はいそいそと、東吾の前に桐の小箱をひろげた。

見事な鼈甲《べっこう》の櫛が二つ、各々の小箱に入っている。

「旦那様が、お正月のお年玉に、なにか用意するようにおっしゃいましたのでね」

一つは香苗の実家の、妹の七重《ななえ》へ遣《や》るもので、一つは、

「日頃、東吾様がお世話になっているので、かわせみのおるい様にと思って……」

二つの櫛の中、どちらがるいに似合うだろうかと相談されて、東吾は照れた。

「手前は女の髪飾りのことはわかりません。どちらでも義姉上のよろしいほうをお遣《つか》わし下さい」

それでも、香苗は二つの櫛を、とみ、こうみして迷っている。

「今、参っていたのは、鼈甲屋ですか」

東吾は、むしろ、そっちのほうに関心があって、

「若い女が来て居りましたでしょう」

「上野の加納屋と申す、鼈甲の櫛笄《こうがい》などの老舗の内儀《ないぎ》ですよ。お比奈《ひな》さんといって、まだ十九ですって」

「加納屋の主人は、そんなに若いのですか」

「いいえ、清右衛門どのは五十を過ぎている筈ですよ」

香苗はまだ神林家へ輿入《こしい》れする以前から、加納屋を贔屓《ひいき》にしていたという。

「では、今のは、息子の嫁ですか」

「清右衛門どのの後添えだそうですよ」

兄嫁はおかしそうに、

「あんまりおきれいな人だから、東吾様はお気になったのでしょう」

東吾は、にやりと笑った。

「いや、兄上が訊いて参れとおっしゃったのです」

「あら、お戻りでしたの」

二つの桐の箱を手にして香苗が兄の居間へ急いで行くのを見てから、東吾は屋敷を出た。

行った先は、同じ八丁堀の畝源三郎の家で、普段は殺風景な男世帯も、松飾りのせいか多少は華やいでみえる。

畝源三郎は奉行所から帰ったところで、台所には深川の長助《ちょうすけ》が来ていて、なにやらしきりに庖丁を動かしている。

「いいところへ来たようだな」

遠慮なく火桶の前へあぐらをかくと、

「とても、かわせみのようなわけには行きませんがね」

源三郎がいそいそと酒の仕度をはじめた。

「源さんは、上野の加納屋という櫛笄の店を知っているかい」

鉄瓶の蓋をとって、徳利を突っ込みながら東吾が訊くと、

「手前には縁のない店ですが、老舗ですから一応は知っています。但し、あそこの品物は相当、高価だそうですよ」

「俺が買うわけじゃないんだ」

美人の内儀がいるのを知っているかと東吾が水をむけ、源三郎が面白そうに眉を寄せた。

「近頃、東吾さんは気が多いのと違いますか。先だって、上野でもいい女に見とれていて石段から落ちたとか、落ちなかったとか」

「るいが、つげ口したのか」

「お吉ですよ。御仏供の湯というのを届けに来てくれての話です」

わざわざ、竹筒に入れて護国院からもらってきたという。

「源さんも、埃の湯を飲まされたのか」

「折角の親切を無にするわけには行きませんからね」

「その時、みかけたのが、実は加納屋の女房だったんだ」

「およしなさい。人の女房とねんごろにしたら、重ねておいて一刀両断ですぞ。それより前に、おるいさんにとり殺されます」

「あんな女となら、一刀両断にされても悪くないな」

「あの界隈《かいわい》の男どもは、みんな、そういっているようですよ」

「源さんもみたのか」

「目の毒とわかっているものを、わざわざみるのは愚の骨頂と申すものでしょう」

「男の風上にもおけないな」

「手前は風下でけっこうです」

酒の肴《さかな》を運んで来た長助が好奇心を丸出しにした。

「一ぺん、顔をみたいもんですなあ。明日にでも、旦那のお供をさせてもらえませんかね」

それで、東吾はふと思いついた。るいには義姉から加納屋の鼈甲の櫛が年玉として贈られる。だからというわけではないが、狸穴の方月館にいるおとせに、ちょっとしたものをやりたい気がする。月の半分、方月館の稽古に行っている間、東吾の身の廻りの世話はおとせがしてくれている。「かわせみ」の場合は、るいを女房と思っているから、いくら世話をかけてもなんともないが、おとせは他人だけに、なにかの形で礼心をしめしたい。

「さっき、加納屋の品物は高価だといったな」

いくらか、ためらいがちに東吾は訊ねた。

「俺の懐でも、買えそうなものはないか」

手酌で二つばかり飲んだ源三郎が意地の悪い顔をした。

「まあ、東吾さんの財布の中身では無理でしょう。なにせ、鼈甲ですからね」

「鼈甲にもぴんからきりまであるだろうが」

「あいにく、加納屋で扱っているのは、ぴんのほうばかりのようですよ」

東吾が舌打ちし、源三郎は愉快そうに大笑いした。

二

六日の夜に、東吾は「かわせみ」に泊った。

るいが早速、みせたのは、わざわざ、お届け下さいましたんですよ。暮には番頭さんやお吉にまで、

「香苗様が、わざわざ、お届け下さいましたんですよ。暮には番頭さんやお吉にまで、例の桐箱で、結構な頂戴物をした上に、こんな高価なものを頂いて……」

流石《さすが》に女で、とろりとした飴《あめ》色の鼈甲を、飽きもせず眺めている。

「こういうのは、随分、高いんだろうな」

さりげなく訊いてみたが、るいにも見当がつかないらしい。

「加納屋で扱う鼈甲は、よその店のと品物が格段に違うそうですから……」

同じようなものを並べてみないと、その値打がわからないのだといわれて、東吾はただうなずいているより仕方がない。

翌日は七草粥《がゆ》で、「かわせみ」の台所でも朝早くから、お吉を先頭に女達が、

「七草なずな、唐土《とうど》の鳥が……」

と唄いながら、七草を刻んでいる声で眼がさめた。のんびりと朝風呂につかって、るいの居間で熱い七草粥をすすっていると、

「畝の旦那がおみえです」

嘉助が自分で取り次いで来て、

「なんでございましょう、こんな朝早く」

気がきかない人といいたげなるいの前に、もう源三郎が颯爽《さっそう》と入って来た。

「早朝から恐縮ですが、御同道願えませんか」

「どうせ、ろくな話じゃないな」

「場所は上野です」

ひょいと男同士の視線が合って、そこは子供の時からのつき合いだから以心伝心という奴で、

「ちょっと行ってくる」

怨めしそうなるいを後にして、東吾は「かわせみ」を出た。

「上野はどこだ」

改めて訊いたのは外へ出てからで、

「上野二丁目です」

源三郎が眼のすみで笑っている。

「だからさ」

「高価な買い物をしなくとも、堂々と入って行けることになりましたから、わざわざ誘いに寄ったんですよ」

「やっぱり、加納屋か」

「持つべきものは友達ですな」

「殺しか」

「主人の清右衛門だそうです。今のところ、変死ときいていますが……」

大川端から上野まで、八丁堀の名物といわれるほどの無類の早足で、日本橋から神田を駈け抜けるようにして、やがて下谷広小路、その手前の自身番屋で、このあたりの岡っ引で伊之吉というのが、畝源三郎の到着を待っていた。

「松の内から、ろくでもねえことで、申しわけございません」

伊之吉というのは、四十前後、如何にも世馴れたお手先で、自分で茶を注いで出し、手ぎわよく事件を説明した。

加納屋清右衛門の死体は、すでに番屋へ運んであった。

「みつかったのは、この先の寛橋《ゆるやばし》の下あたりで、川ん中でございます」

発見者は通行人で、今朝の六ツ（午前七時）すぎ、近くの常楽院という寺へ朝参りに行く途中だったらしい。

死体は、かなり水を飲んでいた。衣紋《えもん》は乱れているが、これといって外傷はない。

「加納屋は昨夜、どこへ行っていたんだ」

「番頭の話では、谷中の親類へ出かけたそうですが……」

夜が更けても帰って来ないので、小僧を谷中まで様子をみにやったところ、小半刻ぐらい前に帰ったというので、さては入れちがいになったのかと戻って来たが、主人は帰宅していない。

「谷中での話だと、かなり酔って帰ったというので、どこかで酔い潰《つぶ》れてでもいるのではないかと、店の者が手わけをして随分と探したらしゅうございますが、とうとう、みつかりませんで……」

懐中には少々の金も持っていたが、盗られてはいない。

「酔っぱらって、川へ落ちたんじゃねえかと思いますが……」

上野でも指折りの老舗の主人らしく、煙草入れなども極上の品物を身につけている。盗っ人なら見逃すわけがなかった。

「死体の上ったところは近いのか」

死体を改めてから源三郎がいい、伊之吉が案内に立った。

番屋から僅《わず》かなところに川が流れている。

「忍川と申しまして、不忍池《しのばずのいけ》に流れ込んで居ります」

成程、不忍池から下谷広小路を突っ切るようにして流れている川が、南に折れまがる手前のところに石の橋がある。

下谷二丁目と上野二丁目をつなぐ橋で、幅は一丈一尺、渡り一丈三尺ばかりだ。

川幅は、この橋のあたりで九尺、深さは今の季節で大人の胸ぐらいだろうか。但し、川底は不忍池から流れ出している泥のために下手をするとずぶずぶと足が沈んで始末に負えないらしい。

清右衛門の死体は、橋の下の棒杭《ぼうくい》にひっかかって水面に浮んでいたという。

「加納屋は、すぐそこではないか」

寛橋を渡ると、すぐ右側が常楽院の門前町で、その西側が常楽院の境内になっている。正式には宝王山長福寿寺といって、比叡山延暦寺の末寺、天台宗の寺である。

上野二丁目は常楽院の門前町と道をへだてた反対側で、加納屋はそこから家並にして十数軒も行ったところであった。

「家の近くまで戻って来て、気がゆるんだんでございましょうか」

加納屋はなかなか立派な店がまえであった。

売るものが小さいから店そのものは広くはないが、がっしりした贅沢な普請をしている。

表からみると大戸が下りて忌中の札がとりあえずという感じで張り出されていた。

「とりこみのところ、気の毒だが、店の者に話をききたい」

源三郎がいうと、伊之吉はちょっと不審そうな表情になった。酔っぱらって川へ落ちて死んだというほどの事件で、定廻《じょうまわ》りの旦那がそこまで取調べに立ち会うことは、まず、滅多にない。下手をすると検死も医者まかせというのが普通であった。

「加納屋は、俺の屋敷の出入りなんだ。一言、くやみをいって行こう」

東吾が聞えよがしにいい、源三郎が伊之吉に耳打ちした。伊之吉は東吾の素性を知らなかったらしい。

「左様で……」

俄《にわか》に心得顔でくぐりを叩いた。

店の内は当然のことながら、ひっそりしていた。まだ、遺体が番屋から戻されていないので葬儀の仕度も出来ないでいる。

「清右衛門は、昨日、谷中の親類へ出かけたそうだが……」

源三郎に声をかけられて、番頭が深く頭を垂れた。

「お内儀《かみ》さんの実家でございます。谷中の一乗寺さんのすぐ近くでございますが……」

「出かけたのは、いつ頃かね」

「八ツ下り（午後二時すぎ）でございました」

「それにしては、随分、長居をしたようだが、なにか厄介な話でもあったのか」

「さあ、手前はなんにもうかがって居りませんが」

供はつれず、一人で出かけている。

そこへ奥から内儀が手代と一緒にやって来た。

「神林様から、おくやみにお出で頂きましたとか、おさわがせ申し、あいすみません」

手を突いた顔は化粧っ気がなく、青ざめてはいるものの、美しさにかわりはない。

「御主人はお内儀の実家へ行かれたそうだが、用件などは御存じか」

東吾が訊ね、お比奈がゆるく首を振った。

「いいえ、ただ正月の挨拶に……、私の母に年玉を持って行ってやると申しまして……」

「何故、お内儀は一緒に行かれなかったのか」

「そのつもりで居りましたが、このところ、外へ出る用事が多うございまして……出かける前に気分がすぐれなくなりまして……でも、このようなことになるのでしたら無理をしてもついて参ったものをと、後悔して居ります」

そっと袖口を眼にあてた。

「要らぬことを申してすまなかった。慎んでお悔み申し上げる」

店を出てから、伊之吉に訊ねた。

「清右衛門は酒が好きか」

「まあ、嫌いなほうじゃねえようで……殊《こと》に正月でございますから……」

伊之吉は、自分もそっちはいける口らしく、ぼんのくぼに手をやって苦笑いをしている。

「源さん、谷中まで行ってみないか」

東吾がいうと、伊之吉は仰天した。

「なにか、御不審でも……」

「そうじゃないが、義姉上は加納屋が贔屓《ひいき》なのだ。帰っていい加減な話じゃすまされねえんだ」

下谷から谷中まで、不忍池のふちを通って上野の御花畑を抜けて行くのが近道だが、道の片側は池、片側は上野山内なので、寂しいこと、この上もない。

今日もよく晴れていて、不忍池の中島にある弁財天の御堂に初春の陽が明るかった。

池には鴨が何羽も浮んでいる。

俗に上野の御花畑と呼ばれる、上野御門主の御花畑のあるあたりは更にひっそりして人通りも絶えた。空には今日も鶴が舞っていて、それが僅かに正月らしさを思い出させるなど、浮世ばなれのした風景の中を暫《しばら》く行くと松平伊豆守の下屋敷がみえ、一乗寺の鐘楼がみえはじめた。

お比奈の実家というのは、小ぎれいな住居で、黒塀に見越しの松という外観は妾宅とでもいった印象だが、下女の取次で家の中へ入ってみると、瀟洒《しょうしゃ》な建物の中におかれている諸道具類はひどく趣味が悪かった。おまけにお比奈の母親というのは、美人は美人だが、若作りの厚化粧で口のきき方も知らないような育ちの悪い女であった。

加納屋清右衛門は昨日、日の暮れ前に来て、かなりな酒を飲み、加納屋から迎えが来る半刻前頃に帰ったという以外に、これといって話もない。

「だいぶ酔っておいでだから、駕籠《かご》を呼ぶっていうのに、要らないって帰っちまって……でも、このあたりは駕籠を呼びに行くったって容易じゃありませんしね」

娘の亭主が死んだというのに、昼間から酒の匂いをさせている。

「どうも大変なお袋様で……」

帰り道に、伊之吉が仕方なさそうに話したところによると、お比奈の母親は元、谷中の或る寺の住職の妾で、お比奈は私生児だという。

「相手の坊主はとっくに死んじまって……そのあと、なにをして食って来たのか……まあそんなですから、親子ほども年の違うところへ喜んで娘を嫁にやったようなわけで……」

今は加納屋から仕送りをもらって、のんびりした生活をしている。

「美人薄命というのは、本当かも知れませんね」

下谷広小路へ出たところで伊之吉と別れてから、源三郎が感想を述べた。

「あの母親では、お比奈さんは子供の頃から、さぞかし苦労をしたに違いありません。やっと、加納屋の後妻になって落ちついたところで、亭主に先立たれたんですから……」

「そうともいえねえぜ。お比奈はまだ十九だ。五十をすぎた亭主に仕えるより、いっそ独り身になってみりゃあ、加納屋の身代は自分のものだろう。いくらだって、いい聟が押しかけてくるんじゃねえか」

死んだ清右衛門には、先妻の間にも子供はなかった。妾ならともかく、お比奈はれっきとした加納屋の内儀である。

「お比奈にしてみたら、むしろ、都合のいいことかも知れねえよ」

「そんなものでしょうか」

「そういうものさ、だから、女はおっかねえんだ」

「まさか、おるいさんもそうだと思ってるわけじゃないでしょうな」

「あいつは、俺より年上だからな。俺が死んだって、もらってくれる奴なんぞあるものか」

「そりゃわかりませんよ。あの器量で、あの色っぽさです。男なら、ほうっておくものですか。東吾さんの葬式の出ない中から、聟のなり手が押しかけますよ」

「よせやい、縁起でもねえ」

無駄口を叩き合いながら八丁堀の近くまで戻ってくると、たまたま、兄の通之進が奉行所から退出して来たのとばったり出会った。

「加納屋の主人が死んだそうではないか。上野まで行って来たのであろう。話を聞かせろ」

東吾は大川端へ行く道を横目にみながら、やむなく兄の供をして屋敷へ帰る破目になった。

三

加納屋清右衛門は、酔って川へ落ち、溺死したということで葬式が出た。

「正月早々の野辺送りってのは、いやなものでござんすね」

中一日おいて、東吾が「かわせみ」へ行ったのは、翌日からが狸穴の稽古日で、暫く、るいの顔がみられなくなる、いわば、しばしの別れのための逢瀬だったというのに、夕方から源三郎が深川の長助をつれてやって来て、加納屋の葬式の話をしていて、なかなか、おみこしが上らない。

「長助親分は、どうしてお葬式にいらしたんですか、あの辺りは縄張りってわけじゃございませんでしょう」

るいの不審顔に、長助はいい加減、酒の廻った額を叩いた。

「いえ、そりゃあそうなんですが、こちらの若先生が、加納屋のお内儀さんが特別誂《あつら》えの別嬪《べっぴん》だっておっしゃるんで、まあ、こちとら、鼈甲屋なんぞとはちと、御縁がなさそうなんで、葬式でもなけりゃ、お内儀さんの顔を拝むなんてことは出来ませんから、畝の旦那のお供をさせて頂きましたんで……」

東吾があきれた顔をした。

「源さん、葬式に行ったのか」

「いや、手前は町廻りの途中、たまたま、葬式に出くわしまして、満更、縁のない相手でもなし、焼香だけして来たものです」

「うまいこと、しやがったな」

つい口がすべって、あっと思ったが、もう遅い。

「加納屋のお内儀さんというのは、そんなにおきれいな方なんですか」

るいがやんわりと体を寄せて来た。

「まあ、美人といえば美人だろうな」

とぼけて逃げようとした東吾の行く手を源三郎が言葉で遮った。

「東吾さんは、上野の護国院の大黒参りで、加納屋の女房をみかけたそうですよ」

あらっと小さくるいが叫んだ。

「それじゃ、あの時の……だから、この前、畝様がお誘いにみえた時、あんなに慌ててお出かけになったんですね」

そろりとるいの手が東吾の膝へのびたとたんに、源三郎と長助がそろって腰を上げた。

「どうも長居をしました。あとはどうぞ、ごゆっくり」

「おい、卑怯だぞ。裏切り者」

東吾がどなった時は、もう「かわせみ」の外へ出ている。

「よせよ。源さんがお前にやきもちをやかせようとして仕掛けた罠じゃないか、馬鹿、よせったら……」

るいの居間から、慌てふためいた東吾の弁解が少しの間、聞え、やがてひっそりと静まりかえるのを、嘉助は帳場で、お吉は台所で聞えても聞えない顔でせっせと働いている。

「かわせみ」の夜は、るいの部屋から更けて行った。

東吾が狸穴へ行ってから二日目に、八丁堀からの使が方月館へ来た。

「下谷の伊之吉が殺されました」

使の口上は、まず、その知らせで、少々、御助力願いたいことがあるから、二、三日、八丁堀へお帰り頂けると有難いという、源三郎の手紙を持参している。

「畝どのが、わざわざいって来られたのじゃ。道場のほうは、わしでよい。行って手伝ってやることじゃ」

方月館の松浦方斎《まつうらほうさい》にいわれて、東吾はいささかくすぐったい顔で狸穴を出た。

八丁堀には、深川の長助が待っていて、

「舟の用意がしてございますので……」

その足で大川を漕ぎのぼった。舟の中で長助が話すのを聞いてみると、伊之吉が殺されたのは、昨夜のことで、

「今朝早々に、不忍池の弁天堂へ渡る浮橋の傍で死体になっているのを、堂守がみつけましたんで……」

凶器はありふれた出刃庖丁で、胸の下を一突きにされ、半分、池に体をのめり込ませた恰好で倒れていた。

「下手人の手がかりは……」

「今のところ、これといって聞いて居りません」

「伊之吉に女房子はいるのか」

「かみさんは腕のいい髪結いだそうで、十五になる悴《せがれ》は近所の酒屋に奉公しています」

「それじゃあ、さし当って食うには困らないな」

「いえ、それが、上の十八になる娘が長患いなんだそうで、噂では労咳《ろうがい》だっていいますから、薬代や医者のかかりが大変だって話です」

下谷の番屋へ行ってみると、畝源三郎は伊之吉の死体と一緒に湯島の家へついて行ったというので、早速、伊之吉のところの若い衆に案内させて、湯島天神の裏にある伊之吉の住居へかけつけた。

伊之吉の遺骸は早桶《はやおけ》に入れられて、近くの寺の湯灌場へ運ばれる寸前で、

「東吾さん、ちょっと傷をみておいて下さい」

源三郎が声をかけた。

傷は左胸を思いきり深くえぐっていて、傷口がむごたらしく口を開けている。急所だけに一突きで大の男も絶命したに違いない。

早桶が運び出されてから、東吾は凶器をみた。どこの家にでもありそうな出刃だが、柄が水を吸っている。

「殺してから、引き抜いて池へ捨てたようですが、蓮の根にひっかかって沈まないでいたので、容易にみつかりました」

「下手人は、かなりな返り血を浴びている筈だな」

家へ入ってみると、医者が来ていた。父親の死を聞いて、急に熱が上ったらしい。母親は娘を案じて、家に残り、湯灌場には悴の安吉がついて行ったという。

「伊之吉は、昨日、どこへ行ったんだ」

昼間から出かけて帰らなかったのか、それとも、

「夕方から家に居りました。別に出かけるような話はしませんで……」

女房は朝の早い商売だから宵の中から布団に入り、伊之吉は一人で酒を飲んでいた。外へ出て行ったのを、女房は知らなかったが、病気の娘は、物音を聞いていた。

「うつらうつらしていたので、時刻はわかりませんが、お父つぁんの出て行く音がして、あたしはお上の御用だと思ってました」

岡っ引が夜更けに御用でとび出して行くことは珍しくない。

だが、伊之吉はそれっきり帰らなかった。

「現場へ行ってみますか」

源三郎にうながされて家を出ると、池之端町に住む医者が途中まで一緒に来た。

「伊之吉の娘の容態は、かなり悪いのか」

思わず訊いたのは、両親が揃っていても、薬代に追われる毎日であったという長助の話が頭にこびりついていたからである。

「特に悪いということではございませんが、一つ、はかばかしくないのも事実で、もう少し陽気がよくなったら、木更津あたりへ保養にやったらなどと申して居りました」

「それには金がかかるだろう」

「左様で……」

「あてがあるとでも、伊之吉はいったのか」

「いえ、借金をしてでもというようなことでございました」

医者と別れて上野町の通りを行くと、右に加納屋の看板がみえる。

「美人の内儀さんはどうしている。聟の話はまだ、ないのか」

伊之吉のところの若いのに訊いてみると、

「まだ、旦那が死んで、初七日にもならないのに、そんな話はありませんが、近所の噂では、手代の清治郎が、いずれ、折をみて、お内儀さんと夫婦《いっしょ》になるんじゃないかといっています」

清治郎というのは、死んだ清右衛門の先妻の甥《おい》で、

「血筋からいっても、そこらが当りさわりのないところで……」

「清治郎というのは独り者だったのか」

この正月、香苗の居間から出て来たお比奈の供をしていた若い男の顔を東吾は思い出した。中肉中背の、なかなかの男前であった。

「あれなら、年恰好も、似合いだな」

「清治郎は二十七ですから……そういっちゃなんですが、前の旦那とはいくらなんでも年が違いすぎました。親子どころか、下手をすれば孫みたいなもので……」

その清右衛門が酒に酔って落ちた忍川の寛橋を渡ると、やがて不忍池で、伊之吉の死体のあったあたりで、堂守が気味悪そうに参詣人と立ち話をしている。

「昨夜の話を、もう一度してくれないか」

源三郎にうながされて、堂守は目をしょぼしょぼさせた。

「なにしろ、もう年でございますから、日が暮れるとこの節はすぐに寝てしまいますん

で、夜中に必ず、一度は小用に起きます」

昨夜も夜更けに目がさめて、用を足しながら、なんの気なしに岸のほうをみると、暗い中にどうやら男と女らしい人影があった。

「なにしろ、浮橋のむこうで、距離がありますんで、しかとはわかりませんが、女の様子は鳥追いのようにみえましたんで……」

鳥追いというのは、正月に来る万歳や太神楽《だいかぐら》と似たようなもので、若い女が面を笠にかくし、三味線をひきながら富本《とみもと》だの常磐津だのを語って廻るもので、その風俗が大層、洒落ていたので男達には人気があった。

「あとで考えてみれば、あんなに遅くに鳥追いが寂しい池のそばで男と話をしているってのは、ちょっとおかしいのかも知れませんが、その時は寒いのと、眠いので、すぐ布団へもぐっちまいまして……」

夜があけてから、なんとなく気になって橋の袂《たもと》へ行ってみて、死んでいる伊之吉をみつけたものである。

「鳥追いか」

東吾が伊之吉のところの若いのをふりむいた。

「伊之吉の昵懇《じっこん》にしている鳥追い女ってのはねえだろうな」

「へえ、御用の筋で、ああいう連中と口をきくことはございますが、特に親分が、これといって……」

酒は好きだが、そう深酒をするほうではなく、女狂いをしたという話もない。

「やっぱり、長患いの娘が居りますから……」

伊之吉の日常は、岡っ引としては、まず、まともなほうだったようだ。

「役目柄、怨みを持つ者がないとはいえませんが、とりわけ、憎がられている奴でもないようで……」

自分が手札を渡している岡っ引ではないが、源三郎は気の重い顔をしていた。

「とにかく、江戸にいる鳥追いをあたってみます」

長助も同業だけにひとごとでない気分で、

「このまま、下手人が挙がらねえんじゃ、仏も浮ばれません」

早速、自分のところの若い連中と探索にかかるという。

下谷を去る時、東吾が思い出したように伊之吉の若い者に訊ねた。

「伊之吉の殺されたあたりは、かなり丹念に探したんだろうな」

若いのは、ちょっと首をかしげて、

「畝の旦那のお指図で、池の中や草むらに、なにか手がかりになるものはねえかと、調べましたんで……」

その結果、凶器の出刃庖丁はみつかった。

「衣類はなかったのか」

「へっ」

「鳥追いの着物だ」

「そんな大きなものがありゃあ見逃す筈がござんせん」

帰りも、神田川から舟であった。

「東吾さんは、鳥追いが、素人だとみているわけですか」

日が暮れて、急に寒さが襲って来たが、二人共、神経がびりびりしていて、

「鳥追いの宿というのはきまっているそうだから、長助が調べればすぐにわかるだろうが、俺はどうも本職の鳥追いと逢っていたんじゃねえと思う」

仮に、鳥追いと話をしていた男が伊之吉だったとしての話である。

「おそらく、伊之吉でしょう。死体があそこにあったことから考えても、伊之吉が家を出た時刻から推してみても……」

「なんで、あんなところで鳥追いと逢ったんだ」

「どっちかが、呼び出したんでしょう」

「伊之吉が呼び出したんなら、もう少し、ましなところを考えねえか」

陽気のいい季節ならとにかく、吹きっさらしの寂しい場所で、深夜というのは、

「殺す人間が、呼び出したから、そういうことになったと考えるのが自然だろう」

「鳥追いが最初から伊之吉を殺す気で呼び出したというんですな」

「女かな」

「鳥追いは女ですが……」

「男が化ける手もある」

女が呼び出すには場所も時刻も寂しすぎた。

「しかし、伊之吉の傷は、思い切って突いていますが、どちらかといえば非力な感じでしたね」

「男でも力のない奴はいるだろう」

「男に、こだわりますね」

「源さんは女か」

「女にもいろいろあります。夜中にああいう場所へ行くのが、それほど怖くない奴もいるでしょう。人間は追いつめられると、思い切ったことをするものです」

「あてがあるようだな」

「ありません。ないから、東吾さんに使を出したんです」

大川から舟で上るとなると、八丁堀よりも「かわせみ」のほうが近い。

「兄上には、狸穴へ行ってることになっているのだからな」

無論、るいのところへ泊る心算《つもり》だが、

「源さんも来いよ。かわせみの連中の意見をきいてみよう」

「かわせみ」では、思いがけない東吾の姿に、るいが上気した顔で出迎えた。

冷え切った体を風呂で温めて、るいの部屋で酒になる。

下谷の伊之吉が殺された話になると、嘉助までがやって来て、仔細らしく首をひねった。

「ひょっとして、伊之吉はどこかで、金をゆすったってことはござんせんか」

嘉助がいい出したのは、いわゆる岡っ引連中が、自分の縄張り内に出入りの大店《おおだな》をいくつも持っているのを知っているからで、そうした大店では、なにか事件が起った時のために、始終、岡っ引にはつけ届けをしたり、店に顔を出しさえすれば、小遣い銭ぐらいは必ず袂に入れてやるのが、しきたりのようになっている。そういう間柄だけに、家の中のごたごたを相談されることもあるし、その家の世間へ出したくない弱味を握ってしまう場合も少くない。

「手前が、旦那様のお供をして町廻りをして居りました時分に、よく、そうした心がけのよくねえお手先が、大店をゆすったりしているって話を耳に致しましたよ」

伊之吉の場合、そう評判の悪い男ではなかったにせよ、

「家には長患いの娘さんがいることですから」

ひょっとして、悪心の出ないものでもない。

「そういえば、医者に木更津へ保養にやるという話をしたらしいな」

借金をしても、その金を用意すると医者にいった伊之吉は、いったい、どこから、その金を借りる気だったのか。

「伊之吉の出入りしている大店を調べる必要がありそうだな」

「加納屋も、伊之吉のお出入り先の一つですよ」

源三郎がさりげなくいい、東吾が酒にむせた。

「源さん、又、るいをそそのかそうってのか」

だが、るいはあでやかに笑っていた。

「その手は桑名の焼蛤《やきはまぐり》。加納屋のお内儀さんには好きな人がいるんですって……」

お吉も嬉しそうに膝をのり出した。

「そうなんですよ。死んだ旦那の一周忌でも終ったら、晴れて御夫婦になるんですすって」

「手代の清治郎か」

少し、忌々《いまいま》しい顔で東吾がいい、

「あら、御存じでしたの」

るいが悪戯《いたずら》っぽく笑った。

「お比奈さんって人は、旦那の生きてる時分から清治郎さんがお気に入りで、随分、親切にしていたんですって。でも、清治郎さんは物固い人で、お比奈さんの親切を迷惑がっていたみたい。旦那に痛くもない腹を探られるより、女房をもらって身を固めたいって、番頭さんや御親類にも相談をして、内々でお嫁さんを探していたくらいなんですけど、旦那があんなことになっちまったら、加納屋の血筋は清治郎さんだけでしょう」

「結局、お比奈と夫婦になるのか」

「清治郎さんは、まだ、迷ってるみたいですがね」

と、そんな噂を下谷へ行って訊いて来たという嘉助が、つるりと自分の顔を撫でた。

「迷うこたあねえですよ。年は若いし、美人なんだし、おまけに加納屋の財産がころがり込んでくるんですから……」

東吾が一座の顔を見廻すようにしていった。

「清治郎だな。清右衛門が死んで一番、得をするのは……」

「今のところ、そうです」

待っていたように源三郎が、

「清右衛門が酔って川へ落ちたのではなく、故意に突き落されたとしたら、どうなりますか」

「下手人は、清治郎か」

「誰が下手人にせよ、それに気がついた者がいたとしたら、どうなります」

「伊之吉だな。そうすると、伊之吉殺しは清治郎か」

源三郎が、すまして味噌汁の椀へ手をのばした。

「残念ながら、清右衛門が死んだ夜、加納屋の家の者で外へ出たのは、最初が谷中まで迎えに行った小僧で、そのあと、さわぎになって、番頭も手代も外へは出ていますが、みんな一人ではなく近所の鳶《とび》の連中なんかと二、三人で、女房のお比奈をはじめ、奉公人はみんな店で夜あかしをしてしまったそうですから、そんな最中に目と鼻の先の忍川へ清右衛門を突き落すのは無理です。とすると、清右衛門が死んだのは、さわぎになる以前か、もっとずっと遅くなってからで、どちらにしても、清治郎も番頭もお内儀《かみ》さんも店にいたのが奉公人たちの口から明らかにされています」

「そんなことを、源さん、調べていたのか」

「酔っぱらって川へ落ちて死んだと片づけるにしては、加納屋の女房が美人すぎましたからね」

どこまでが本気か冗談か、今夜の源三郎はよく酒を飲み、飯を食う。

「それじゃ、畝様、加納屋の主人を殺したのが清治郎でないとすると、清治郎が伊之吉を殺すわけもありませんでしょう」

お吉が文句をいい、源三郎は得意そうに鼻をうごめかした。

「手前は清治郎が下手人だといっていません」

「じゃあ、誰が……」

「とにかく、加納屋の人間は、あの夜、小僧をのぞいては、一人で店の外へ出て行って清右衛門を殺すのは、まず不可能なんです」

清右衛門が殺された夜、加納屋の人々にはまず全員疑わしい点はない。

「しかし、誰かに頼んで、清右衛門を殺させることは出来ます」

「それじゃ、伊之吉が……」

「まさか、お上のお手先がと思うでしょうが、岡っ引も人の子です。欲に目のくらむこともある。まして、伊之吉は長患いの娘のために、なんでもしようという気持になったかも知れません」

「目星は、やっぱり、清治郎か」

「東吾さんは、どうも、男を下手人にしたがるようですが、手前は、お比奈も、お比奈の母親も、その可能性があるように思います」

「かわせみ」の居間が、しんとなった。

「三人の中、誰がやっても不思議ではないでしょう。お比奈は亭主よりも、清治郎が好きであった。娘の気持を知ったら、母親もやりかねません。清治郎にしたところで、表向きはどうとりつくろっても、あれだけ美人の女に思われて迷惑であるわけはないでしょうな」

「証拠がないな。源さん……」

「そうです。それで困りました」

「鳥追いの着物か……」

伊之吉を殺した時に返り血を浴びた筈の衣裳である。

「捨てるか、焼くか……」

「下手に捨てると足がつきますからね」

「焼くにしても、人目に触れるぞ」

「加納屋とお比奈の母親の家には見張りがついていますが……」

谷中のほうはともかく、加納屋には奉公人の眼がある。

その時、るいがぽつんといった。

「藪入りがすぐですよ。もうあと二、三日じゃありませんか」

四

藪入りは、年に一度の奉公人の休日であった。その日、商家に奉公する者は、朝から暇をもらって、親許へ帰ったり、盛り場へ遊びに出たりする。

加納屋も午すぎには無人になった。

家に残っていたのは、お比奈が一人である。

やがて、お比奈が風呂の下に薪をくべはじめた。あたりをうかがって、その燃えさかる火の中に小さく切り刻んだ衣類を用心深く放り込む。炎に照らし出された布には、点々と血汐の跡があった。

「源さんは最初《はな》っから、お比奈を下手人だと気がついていたんだな」

召捕になったお比奈が、すべてを白状した日、東吾は源三郎と湯島の伊之吉の家へ行き、いくらかの見舞金を女房に渡して、焼香をした。

その帰り道、神田川で舟を待つ間の話である。

「どうして、お比奈だと思ったんだ」

「清右衛門が、もし、殺されたものなら、遠からず、なにかが起ると思っていました」

無論、その時点で、お比奈に疑いを向けたわけではない。

「しかし、伊之吉が殺された時は、十中八九、お比奈だと思いました」

「だからさ。何故なんだときいている」

通りかかった鮨《すし》売りを呼びとめて、東吾はこはだの鮨を買い、行儀悪く往来でつまんだ。

「男が寒い夜中に、あんな寂しいところへ呼び出されて、のこのこ出かけて行ったんです。東吾さんなら、誰が相手なら、出て行きますか。清治郎では、まず行かないでしょう。中婆《ちゅうばば》あの厚化粧のお比奈の母親でも、まっ平じゃありませんか」

「伊之吉は金欲しさに、清右衛門殺しを引き受けたのだろう。お比奈は金を惜しんだのか」

「それもあるかも知れません。が、それ以上に、伊之吉の口を封じなければ、安心が出来なかったんだと思いますよ」

母親は坊主の妾になるような女で、お比奈は私生児として育った。

「いわば、世の中のどん底で暮して来た人間は、おいそれと人を信じないものですよ」

「加納屋の女房になったことを出世と思わなかったのかなあ」

「欲には限りがないということでしょう。清治郎に惚れ、その清治郎が思うようにならないで、嫁探しをはじめた。あせったんでしょう」

「清治郎って奴も、野暮だな。あんないい女のどこが気に入らなくて袖にしたんだ」

「女を怖いと思っているのは、手前だけではないようですな」

源三郎が満足そうに笑い、東吾はやけくそのように鮨を食べている。

「鮨や、鮨や、こはだの鮨……」

という鮨売りの小意気な声が、神田川のむこうに遠くなった。

川風はひどく冷たい。

江戸の正月気分も、今日あたりまでとみえた。

梅一輪《うめいちりん》

一

その日、東吾は兄の使で、本所の麻生《あそう》家を訪ねての帰り道であった。

麻生源右衛門《げんえもん》は、東吾の兄嫁、香苗の父である。

源右衛門は風邪気味ということで屋敷に居り、その話し相手をさせられて、東吾が本所を辞したのが七ツ下り（午後四時すぎ）、如月のことで、町は夕暮の気配が濃かった。

武家屋敷の多い本所界隈《かいわい》はひっそりしていたが、佐賀町まで来ると人通りが急に増えた。

仕事や用足しを終えて家路をいそぐ者が、寒風に身をちぢめ、小走りに往来している。

ふと、東吾が目をつけたのは、少し前を行く女であった。

髪の結い方や着ているものの好みからみると遊芸人のようであった。裾《すそ》さばきのやや荒っぽい歩き方からしても、素人ではない。

永代橋のほうから吹いてくる風に顔をちょっとうつむけるようにして、両手を突袖《つきそで》にして口許の近くで合せているのだが、その目が絶えず左右の通行人にすばしっこく動いている。

ひょっとすると女掏摸《すり》ではないかと思い、東吾はさりげなく、女のすぐ後に続き、油断なく見張っていた。

果して永代橋の袂《たもと》まで来た時、女がぐいと体を沈めるようにして向うから来た男に体当りした。

「あっ、ごめん下さいまし、とんだ粗相を……」

殊勝な声と一緒に、女が色っぽい会釈をし、相手の男は怒りかけた顔を苦笑に変えた。

「危いよ、気をつけて行きなさい」

「申しわけございません」

歩き出した女の前に、東吾が立ちふさがった。

「待て」

不審そうにこっちをふりむいている男にも声をかけた。

「この女は掏摸だ。懐中物を調べてみろ」

商家の旦那といった感じの男が、慌てて懐へ手を入れて、あたふたと叫んだ。

「ございません、財布が……」

女が身をひねってかけ出そうとし、東吾がその手を摑んだ。

「なにするのさ」

目をつり上げて女が叫び、忽《たちま》ち野次馬が周囲に立った。

「今、奪《と》ったものを出せ」

「おかしなことをいわないで下さいよ、あたしがなにをしたっていうんですか」

「いい逃れをしようとしても駄目だ。お前が財布を掏《す》ったのはわかっている」

「なんですって……」

掏られた男が女の胸倉をとった。

「財布を返せ、番所へ突き出してやる」

「よせ。器用な掏摸なら、掏ったものをお前の懐中へ戻すぞ」

証拠の財布を相手へ返しておいて、知らぬ存ぜぬと濡衣《ぬれぎぬ》を主張する。

東吾は素早く、二人を分けた。

男が女からとびのいて、懐を調べた。財布は戻っていない。

「よござんす。そんなにおっしゃるなら、あたしの体を改めてもらいましょう」

なにを思ったか、女がいきなり帯に手をかけた。往来で乱暴に結び目をほどき、ずるずると足許へすべり落す。ためらいもせず、しごきを、腰紐を解いて着物から襦袢《じゅばん》からあっという間に素裸になった。身につけているものは湯もじ一枚。

「おお寒い。ちょいと、それ貸しとくれ」

傍で見物していた男が手に持っていた半纏をひったくって胸のあたりをかくしたが、東吾も野次馬もぎょっと息を吞んだのは、女のまっ白な背中に鮮やかに彫られた刺青《いれずみ》である。

「若先生、どうなさいました」

野次馬のむこうから、深川の長助が東吾に声をかけ、若い者が女を取り囲んだ。

二

「じゃあ掏摸じゃなかったんですか」

その夜の大川端は、「かわせみ」の、るいの居間で、東吾は炬燵《こたつ》で盃を手にしていたが、どうも酒が旨《うま》くない。

「正直いって、俺は女の背中からみているんだから、財布が掏られたのはみていない。しかし、あの恰好は間違いなく掏っていたんだ」

現にぶつかった男は、財布をとられている。

深川の材木問屋の主人で、財布には三十両からの金が入っていたという。

「でも、そのお財布が出ないわけでしょう」

寄り添って酌をしながら、るいは悪戯《いたずら》っぽく笑った。

「どなたかさんが、女の人の裸にぼうっとなってる中に、掏摸の仲間がその人から財布を受け取って逃げちまったんじゃありませんか」

たしかに、それは掏摸の常套《じょうとう》手段といえた。

追いつめられた掏摸が仲間に掏ったものを渡して逃げる。摑まったとしても品物が出なければいいのがれが出来た。

「俺がそんなへまをするものか、最初から最後まで、女から目をはなしたことはないんだ」

長助のところの若い者が女の着物をまとめ、番屋へつれて行って、帯から袂から、それこそ虱取《しらみと》りでもするように、くまなく調べた。

だが、財布はどこからも出て来ない。

「湯もじの下にかくしてたんじゃありませんか。すごい女なら、それくらいのことはやりかねません」

嘉助が、むかし捕方だった時分の知識をひけらかしたが、

「いや、そいつも長助が番屋で調べさせたそうだ。どこにも持っちゃあいなかった」

といって、それまでの間に女が財布を誰かに渡したとも思えなかった。

女をとりおさえてから、東吾は野次馬を女の近くに寄せつけなかったし、番屋へ行くまで、女は両手を長助の若い者に後で縛られていた。掏摸には名人芸を自慢する者が少くないが、それにしても、東吾は腑に落ちない。

「畝様がおみえになりましたよ」

お吉が取り次いで、今しがた奉行所から下って来たばかりらしい畝源三郎が、深川の長助と一緒に入って来た。

「若先生、あいすみません。あっしとしたことが、とんだどじをやらかしました」

敷居ぎわで、長助が小さくなってお辞儀をし、

「そんなところで、寒いじゃありませんか。さっさと中へ入って下さいよ」

お吉に尻を蹴とばされるようにして部屋へ入った。

「逃げられたのか」

「へえ」

どう調べても、女の体から財布が出ない。とすれば、釈放するより仕方がないのだが、諦め切れない東吾は、長助に女のあとを尾行するように頼んだ。

「そういうことでしたら、若い者をやるより、あっしが……」

と生真面目な長助は、いやな顔もせずに、もう暗くなった表へとび出して行ったのだが、

「いいわけするつもりはありませんが、あとで考えてみますと、女の少し前を、若い男がずっと歩いていました」

逆ないい方をすれば、その男は、女が番屋から出てくるのをどこかで待っていて、女はその男の誘導通りに歩いて行ったものに違いない。

番屋を出ると、女は佐賀町を抜け、下の橋、中の橋、上の橋とまっすぐ突き抜けるようにして霊雲寺の塀外を通り、小名木川にかかっている万年橋の袂のところまでくると、

「先を歩いていた男が、その辺にもやってあった小舟にとび乗りまして、情ねえ話ですが、あっしがはっとしたのは、その時になってからで」

長助が尾行をやめてかけ出した時、女はもう小舟に乗っていて、そのまま小名木川から大川へ漕ぎ出して行った。

「追いかけようにも、舟はありませんし、大川沿いを走るには走ったんですが……」

夜のことで、忽ち小舟を見失ってしまった。

「ともかくも、若先生に、お詫《わ》びを申さなけりゃならねえと、畝の旦那のところへ参りまして……」

「そいつは長助の罪じゃねえ、そもそもは、俺がどじだったんだ」

番屋の外に若い男が待っていたと、長助がいった時に、東吾の心にひらめくものがあった。

「そいつ、どんな恰好の男だった……」

「なにしろ、暗かったもんですから……」

「半纏を着た、職人風の男じゃなかったか」

「そうおっしゃられると、たしかに半纏は着ていました」

あいつだと、東吾は思わず舌打ちした。

「なにか、心当りがありますか」

畝源三郎が東吾の顔をみる。

「源さんの前だが、俺は馬鹿だよ。何故、気がつかなかったのか」

女は素裸になった時、近くの男に半纏を借りて肌をかくした。その半纏は、長助の若い連中が番屋へ行く時、無造作に男へ返し、かわりに長助の羽織を着せかけて行った。

「あの半纏にしかけがあったんだ」

女が路上で素裸になっただけでも大方の人間はぎょっとするのに、背中一面に刺青があった。流石《さすが》の東吾も、一瞬、そっちへ気を呑まれた隙に、女は仲間の男から半纏をとるとみせて財布を受け渡した。それ以外に考えようがない。

「刺青って、いったい、どんなんですか」

るいが訊き、東吾がいくらか間が悪そうに話した。

「そいつが滝夜叉姫《たきやしゃひめ》の図柄なんだ。背中一杯に極彩色で、肩んところと腰に、紅葉がびっしり彫り込んであった」

「まあ、よくごらんになりましたこと……」

「馬鹿いえ、ちらっとみたってそれくらいのことはわかる」

「女は、いくつぐらいでした」

源三郎が、やっと盃を手にして訊いた。

「よせやい。源さん、なにもるいと一緒になって、俺を嬲《なぶ》ることはあるまい」

「いや、少々、気になる噂があるんです」

昨年の暮から今年にかけて、掏摸の被害は目立って多くなっている。

「まあ、暮から正月は掏摸の稼ぎどきといいますが、今度、噂になっているのは、ちょいと、いやな連中でして……」

普通、掏摸というのは懐中物を盗むだけで殺傷はしない建前なのに、

「掏られた相手が気がついて声をあげると、いきなりずぶりと殺《や》っています。かと思う

と、最初から殺しておいて奪《と》るという……」

　先だっては、蔵前の札差の番頭が手代をつれて出入り先の屋敷へ大金を届けに行く途中、いきなり四、五人に囲まれて、

「二人とも斬り殺され、金を奪われています」

「それじゃ、掏摸とはいえませんよ。辻斬強盗じゃありませんか」

るいが眉をひそめ、源三郎が二、三杯の酒でもう赤くなった頬のあたりを撫《な》でた。

「それが、掏摸の一味なんですよ」

たまたま、この犯行を遠くからみていた者があっての話だが、

「最初に、金を持っている番頭に一人の男が突き当ったというのです」

大金を持っているので、番頭は最初から用心して、しっかりと胴巻を押え、この時は何事もなかった。

　突き当った男はそのまま町角を曲って、番頭と手代が歩いて行くと、いきなり男たちにとり囲まれたというのである。

「掏摸というのは、外からみただけでも、相手がどのくらい金を持っているかわかるといいますが、そういうのは名人で、それほど腕のない奴はぶつかってみて手ざわりで見当をつけるんだそうです」

　つまり、この一味の場合は、金を持っているかどうかを調べるのが掏摸の役目で、あるとわかったところで仲間が襲いかかったのではないかと源三郎がいう。

「随分、手の込んだことをするじゃないか」

「人殺しをしても、たいした金を持っていないのでは馬鹿げていますからね」

金を奪うのが目的なら、これ以上、たしかな方法はない。

「掏摸の風上にもおけませんね」

嘉助が腹を立てた。

「むかしの掏摸は、指先一つで、しかも相手がわからないように掏りとるのを自慢にしてましたよ。刃物を使うなんざ、下の下でさあ。おまけに掏った財布の中に大事な手紙なんぞ入っていたひには、そいつだけ持主の懐へ知らない中に戻してやるなんて器用な真似をする奴がいましてね……」

昔話をしかけた嘉助が、急に言葉を切った。

「ちょっと待って下さいよ。今日の女掏摸の背中の刺青は、滝夜叉姫だっておっしゃいましたね」

東吾が、るいの顔をみながら、頭へ手をやった。

「どうも、今夜は刺青がたたるな」

「むかし、将門《まさかど》の彦六って掏摸がいたんでさあ」

名人中の名人といわれた男で、

「金は掏るが、財布は返すって器用な真似をしますんで、おまけに一両以上は取りません」

そいつがねらうのは、必ず十両、二十両と入っている財布だが、「いったん掏って、その中から一両だけ取りまして、残りはそっくり財布ごと、知らねえ中に懐へ戻すんです。ですから、彦六の手にかかったら、家へ帰るまで掏られたことは気がつかねえ。金を数えて、どうも一両たりねえ、おかしいってんで財布を調べてみると、彦六と書いた紙片が入ってるんだそうです。それで、やられたってことがわかるんですが……まあキザはキザですが、あの頃は掏られた人間が面白がって、彦六って紙片をみせびらかしたりしまして、掏摸に人気ってのもおかしな話ですが、大層、人気のあった掏摸でしたが……」

嘉助の顔が少し曇って、るいが訊ねた。

「お召捕になったんですか」

「いいえ、それが、殺されちまったんです」

場所もあろうに神田明神の境内で、死体で発見された。

「下手人は知れずじまいで……掏摸の仲間割れかっていう噂もございましたが……その彦六に娘がいたってことを聞きました」

「娘さん……」

「へえ、噂だけのことで、どんな娘がどこに彦六と暮していたのか、これもとうとうわからなかったようです」

東吾が威勢よく盃をあけた。

「面白いぞ、源さん、滝夜叉姫ってのは将門の娘だろう」

「手前は芝居は苦手です」

「そうですよ、そうですよ。われこそは将門が娘、滝夜叉姫ってせりふがありましたよ」

膝をのり出したのは、芝居好きのお吉で、

「それじゃ、今日、長助親分が逃がした女掏摸が将門の彦六の娘ですよ。きっと、それに違いありません」

捕まえてたら大手柄だったのにと、お吉の大声に、長助はいよいよ頭が上らなくなってしまった。

三

永代橋の女掏摸の事件があって三日目に、東吾は狸穴《まみあな》の方月館へ出かけた。月の中、十日は方月館の師範代として稽古をつけに八丁堀から出かけて行くのが、ここ数年、東吾の生活の一つになっている。

方月館の主、松浦方斎は名人岡田十松の剣友で、東吾をここの師範代に推挙したのは、岡田十松の弟子であり、今は練兵館の当主である斎藤弥九郎であった。

方斎は老齢ながら、まだ矍鑠《かくしゃく》としているものの、東吾が狸穴に来ている時は、道場のほうはまかせきって、自分は土いじりをしてのんびりと暮している。

門弟の大半は武士の子弟だが、場所柄、郷士の倅《せがれ》などもやって来て、東吾は誰にもわけへだてなく熱心に稽古をつけていた。

一日の稽古が終るのが夕方で、善助がわかしてくれる湯を浴びて、飯の前には大抵、ここへ身をよせているおとせの一人息子の正吉に読み書きの稽古をしてやったり、時には凧《たこ》を作ってやったりもする。

方月館は田舎家のような造りで、板の間には囲炉裏が切ってあり、そこでかき餅を焼いて正吉と食べたりするのも、東吾のたのしみになっていた。

八丁堀の神林家や、大川端の「かわせみ」では縦のものを横にもしない東吾が、ここではおとせをはらはらさせるほど、まめに働く。

で、今日も、おとせが自在鉤《かぎ》にかけた大鍋の芋の煮ころがしを時々、かきまわしながら、正吉の素読をきいていると、表に女の声がして、出て行ったおとせに、しきりに礼をいっている。

ちょうど善助が外から薪を運び込んで来て、表戸が開けっぱなしになったので、そこからおとせともう一人の女の顔がみえた。

地味な木綿物で、髪もひっつめにし、化粧っ気のない顔だが、どこか垢ぬけている。

やがて、何度も頭を下げて立ち去ったようなので、東吾は粗朶《そだ》をくべている善助に訊いてみた。

「今の、どこの女だ」

「おまささんですか」

善助がちょっと笑った。

「きれいな人だから、若先生、お気になすったんでしょう」

「そういうわけじゃないが、あまりみかけない顔だと思ってね」

おとせが籠《かご》を抱えて土間へ入って来た。

「おまささんが、こんなに沢山、卵を下すって……茶碗むしでも作りましょうか」

いそいそと東吾の傍へ来て、芋の煮え加減をみた。

「目黒村の人なんですよ。御主人が板前さんで、飯倉の観月亭で働いていたんですけど、昨年の春に風邪をこじらせて歿《なくな》ってしまって、今は御主人の両親と暮してなさるんです」

百姓仕事の傍、針仕事をして暮しをたてているのだが、先だって姑《しゅうとめ》が急に患いついて、

「いい按配に病気のほうは治ったんですけど、その看病で頼まれた縫い物が間に合わなくなって……その話を善助さんがきいて来たものですから、出すぎたようですけど、あたしが代りに間に合せたんです」

その礼に卵をもってやって来たらしい。

「まだ若いのに、そりゃ働き者で、いい人なんですよ」

「子供はないのか」

「大吉さんっていって、十二歳ですって。暮から、観月亭さんへ丁稚《でっち》奉公に入ったんです。きっといい板前さんになるでしょう」

同じ母一人子一人の立場だから、おとせは他人事《ひとごと》のように思えないという。

「目黒村にしては、垢ぬけているなあ」

おとせが火から下した芋をつまんで食べながら、東吾がいい、善助がうなずいた。

「もともとは、江戸の人のようですよ。ご亭主も江戸に奉公に行ってましたんで……一緒になってから、ご亭主の実家へ戻って来たっていいますからね」

偶然というのは重なるもので、それから数日後、東吾は方斎と一緒に招かれて観月亭へ出かけた。招いてくれたのは、飯倉の刀屋で日頃、方斎に刀の鑑定をしてもらっていることの礼心のようなものであった。

寒い季節のことで月見というわけには行かないが、料理はこのあたりとしては結構なもので、酒も吟味してある。その座敷に女中として出たのが、先日、方月館へやって来たおまさで、観月亭が客でいそがしい時は頼まれて手伝いに来ているという。

その席で、東吾は座興にと、例の女掏摸の話をした。方斎も話好きだが、このあたりに住む者は江戸の話をなによりも喜ぶからであった。果して刀屋の主人も女中のおまさも熱心にきいている。調子にのって、東吾は将門の彦六の話やら近頃の人殺しをやる掏摸の一味のことまで、大いにまくし立てた。

狸穴での十日が過ぎて、東吾が八丁堀へ戻ってくると、すぐ畝源三郎が訪ねて来た。

「東吾さんのつかまえた女掏摸ですが、やっぱり、彦六の娘かも知れません」

のっけからいわれて、東吾は勢い込んだ。

「また、なにかやらかしたのか」

「これです」

源三郎がみせたのは、小さな紙片であった。

やさしい女文字で「彦六」と書いてある。

「ここ数日の中に、同じような掏摸の被害が次々と届け出されています」

知らない中に財布を掏られ、その財布が知らない中に戻っている。財布の中からは金が一両だけ消えて、そのかわりに彦六と書いた紙片が入っている。

「まるで、彦六の幽霊じゃねえか」

「娘とは考えられませんか」

将門の彦六は十二年前に神田明神の境内で何者かによって殺されている。

「娘がどこへ行ったか知れねえのか」

「彦六は掏摸仲間にも、自分の住居を知らさなかったそうです」

「それじゃあ、娘の年恰好もわからねえな」

「彦六は死んだ時、五十そこそこだといいますから……」

娘はその当時、二十歳前後。とすれば、今は三十歳を越えている。

「女房は……」

「死んだのか、別れたのか……とにかく、娘と二人暮しだったようですな」

「雲を摑むような話だな」

名人彦六と同じ手口の女掏摸が働き出した一方で、例の掏摸を含む強盗まがいの一味の仕業らしい人殺しも目立っているという。

「ひどい時は、一晩に三人も殺されています」

夜といっても、夕方から宵の口にかけてで人通りのない寂しい場所だけならともかく、商家の立ち並ぶ大通りで襲われた者もある。

それで摑まらないのは、手口が鮮やかなほど早く、誰かが気がついた時には路上に倒れている被害者だけで、下手人は雲を霞《かすみ》と逃げ去ったあとだという。

「女掏摸のほうもなんだが、その荒っぽい連中をとっつかまえないとまずいな」

江戸は初春を迎えて間もなくであった。

天下の大道を大金を持って歩けないというのでは、お上の威信にかかわった。

「源さん、俺も手伝うぜ」

狸穴から帰った夜から、東吾は源三郎について町廻りをはじめた。この寒空に八百八町をかけ廻っている親友の気持を思うと、ぬくぬくとるいの部屋へもぐり込むわけにも行かない。

大川端が気になりながら四、五日が経って、その朝も、兄、通之進の出仕を見送って、さて、源三郎のところへ出かけようかと思っていると、

「東吾さん、畝様がおみえですよ」

兄嫁の香苗が知らせに来た。

源三郎は一人ではなかった。背後に深川の長助が困ったような顔をして、東吾をみるとたて続けにお辞儀をした。

「どうも朝っぱらから恐縮ですが、歩きながらお話しします」

そのまま八丁堀を出て、源三郎の足はどうやら大川端へむかっている。

「るいの奴が、なにかいって来たのか、源さん……」

狸穴から帰る日は知っているので、いつまで経っても「かわせみ」に姿をみせない東吾に、るいがやきもきして源三郎に嫌味の一つもいったのかと思う。

「おるいさんがそんなことをすると思いますか」

ちょっと笑って、源三郎はすぐ真顔になった。

「実は、かわせみに泊っている客を、東吾さんに首実検してもらいたいのです」

「なに……」

東吾がふりむくと、長助はしきりにぼんのくぼをかいている。

話をきいてみると、昨日の夕方、長助のところの辰吉という若い者が永代の門前通りで不審なそぶりの女をみかけたという。

「別に掏った現場をみたわけじゃありません。ただ、こう、すっと人ごみを通り抜けて行ったんだそうですが……」

たまたま、昨日の永代寺は縁日でかなりの人出があった。

女が奇妙なそぶりをみせたのが門前仲町で、辰吉はその女とすれ違ったのが、深川の入船町の貸席の主人だということは、顔見知りなので、すぐ気がついた。で、そっちのほうは放っておいて、ひたすら女のあとを尾《つ》けて行くと、女は黒江町から八幡橋を通り、永代橋を渡って、なんと大川端の「かわせみ」へ入って行ったものである。

「おい、まさか、るいやお吉が女掏摸だってんじゃねえだろうな」

笑いながら東吾がいい、長助は首をすくめた。

「冗談じゃありません。辰吉の奴もびっくりしまして、それとなく番頭の嘉助さんにきいてみたところ、七、八日前から泊ってなさるお客だということで、なんでも人探しに江戸へ出て来たそうで、毎日のように出かけていることでして……」

「長助は、その女の顔を見たのか」

「へえ、実は辰の奴の話をききまして、今朝早くにかわせみの近くに張り込みまして、出かけて行くところを……」

「いつかの女だったのか」

永代橋の袂で素裸になった女のことである。

「へえ、それがその……」

長助がなんともいえない表情をした。

「年恰好、背恰好は似ているんですが、顔がどうも似ているような、似ていないような」

源三郎が苦笑した。

「どうも、女が素裸になりますと、大抵の男は、あまり顔をみないようで……東吾さんは、その女の顔を憶えていますか」

「そりゃあ憶えているさ」

いばったものの、東吾はふと不安になった。

女の顔をしっかり見た筈なのに、どうも今一つ、記憶が鮮明でない。

「もう一度、あの女に会えば、わかりますか」

「わかるよ」

「それで安心しました」

「かわせみ」へ入って行くと、珍しくるいが帳場にいて、

「やっぱり、うちのお客様のことで、おみえになったんですね」

宿帳を持ったまま、居間へ案内した。

「このお客様なんですよ」

開いてみせた宿帳には、目黒村百姓、おまさと書いてある。東吾はあっけにとられた。

「おい、この女なら知っているよ」

方月館で会った話をすると、長助は気の毒なくらいにしおれかえってしまった。

「それにしても、そんな女がどうしてかわせみへ宿をとったんですかね」

日にちから考えると、東吾が観月亭で会って二、三日後に江戸へ出て来て「かわせみ」へ泊ったことになる。

「長助をかばうわけではありませんが、なにもむやみに疑いをかけたのではないのです。長助が調べたところによると、昨日、このおまさとすれ違った入船町の貸席の主人は帰宅してみると財布の中に、例の彦六という紙片が入っていたばかりではなく、十五両入れてあった筈の金が、十四両、つまり一両欠けていたことがわかりました」

無論、掏ったのはおまさと決ったわけではなかった。辰吉の見あやまりということもある。

が、東吾も考え込んだ。狸穴で会ったおまさの顔と、女掏摸と。二つの顔はまるで似ていないようにも見えるし、といって、そう断言するには少々のためらいがないこともない。

「女の顔というのは、化粧で変るからなあ」

るいが笑っているのに気がついて、東吾も照れかくしに笑った。

「るいの顔なら、どう化けてもわかるんだがな」

源三郎が苦笑いをした。

「とにかく、夕方、帰って来たら、もう一度、みて下さい」

外出したおまさを、辰吉が尾行しているという。

「ひょっとしたら、なにか拾い物があるかも知れません」

四

その夕方が来て、おまさは暗くなる前に「かわせみ」へ戻って来た。

東吾は、わざと顔を出さず、るいの部屋にかくれている。

辰吉はへとへとになっていた。歩いた距離よりも尾行の気疲れのせいである。

「行ったのは浅草でした。観音様におまいりをして、それから長いこと仲見世を行ったり来たりしてましたが……」

今日はこれといっておかしなそぶりはなく、

「一生けんめい、人を探しているみたいでした。それから上野の広小路へ出て、ずっと帰って来たんですが……」

なんだか寂しそうな後姿に辰吉は自信をなくしていた。

「昨日のは、あっしの目違いかも知れません」

廊下でお吉の声が聞えた。客を風呂場へ案内して行くらしい。それで、東吾が思いついた。

「風呂場をのぞいてみたらいい、背中に刺青があるかどうか」

顔はごまかせても、肌に彫った刺青はどうしようもない。

「あきれた人、女湯をのぞくなんて……」

るいが眉をひそめたが、東吾は張り切って嘉助のところへ行った。風呂番は嘉助の役でもある。

やがて、おまさが湯に入った。その気配をみはからって嘉助が声をかける。

「湯加減は如何《いかが》でござんしょうか」

「ありがとう存じます。いいお湯で……」

嘉助の目くばせで、東吾は風呂場の窓からのぞいてみた。

湯気の中に白い肌が浮んでいる。おまさは窓のほうへ背をむけて、つつましやかに体を洗っていた。なだらかな肩から腰へのびた曲線のどこにも、刺青らしいものはみえない。

「いやな人、いつまでみているんですか」

いつの間に来たのか、るいは耳許へささやいて、東吾の背中を思いきりつねった。

るいの居間へ戻ってくると、お吉が蒼白になって入って来た。

「みて下さい」

おまさの泊っている萩の間へ寝具の仕度をしに行って鏡台のところに落ちていたのをみつけたという。

細く折った紙片を開くと、稚拙な文字で、
おとっつぁんをころしたげしゅにんをしりたければ、あす、みょうじんさまへと書いてある。宛名も差出人の名前もない。

お吉がその文を元へ戻しに行き、東吾は辰吉を八丁堀へやって源三郎を呼んだ。

「やっぱり、おまさが彦六の娘でしょうか」

符節は合った。

将門の彦六は十二年前に殺されている。犯人は挙がらなかった。彦六には一人の娘がいた筈である。

お吉がするりと部屋へ入って来た。

「おまささんが、明日、神田の明神様へおまいりに行くので、途中まで舟を頼みたいっていうんです」

翌日、大川端につないだ小舟におまさを案内したのは嘉助であった。船頭は辰吉、これはもともと深川の船宿の倅で竿には自信がある。舟には一足先に東吾がいた。おまさは東吾をみると、はっとした表情をみせたが、そのまま、舟に乗って来た。

「お気をつけて……」

嘉助が舟をぐいと押し、辰吉が竿をとって大川の流れに出た。

「お前、彦六の娘だったのか」

東吾の言葉に、おまさは顔を上げた。うなずきはしなかったが、否定もしない。

「江戸へ出て来たのは、観月亭で俺の話をきいたからだな」

はじめて、おまさが返事をした。低いが、覚悟の決った声である。

「おっしゃる通りです」

「なんのためだ」

「お父つぁんのかたきを討ちたかったからです」

「下手人はわかっているのか」

「仲間の丑松だと思います。あたしと夫婦になりたいっていって来て、あたしには約束した人がありましたから、お父つぁん、突っぱねたんです。丑松はなにかというと刃物を使うので、お父つぁんはひどく嫌っていましたし……」

「それを怨《うら》んで、彦六を殺したっていうんだな」

「それに違いはないんです。でも、証拠がありません」

彦六が殺されたあと、おまさは恋人と江戸から逃げた。

「お父つぁんがいつもいってたんです。自分にもしものことがあったら、なにはさておいても江戸から逃げるようにって……」

おまさの恋人は近所に住んでいた若い板前であった。

「その人、あたしたち父娘が掏摸だってこと知りません。あたし、その人には迷惑をかけたくなかった」

吉二郎という板前と手に手をとって江戸を出て、暫《しばら》く近在を渡り歩いてから、吉二郎の両親のいる目黒村へ落ちついた。二人の間に子供も生まれて十二年は平安の中に過ぎたが、おまさの気持はおさまらなかった。

「あたし、捨て子だったんです。明神様の境内に捨てられているのを、おまいりに来たお父つぁんに拾われて……」

彦六は青梅の生まれだった。子供の時に江戸へ奉公に来て、ひょんなことから世をすねた。

「青梅は将門様の故郷だって。だから、将門様を祭った明神様へ、お父つぁん、かかさずおまいりに行ってました。明神様の境内で拾った子だから、将門様の思《おぼ》し召しだって……」

名をおまさとつけ、手塩にかけて育てあげた。

「あたしは面白がってお父つぁんから掏摸の業を習ったけれど、お父つぁんは一度もあたしには掏摸はやらせなかった。汚れた指は自分一人で沢山だって……」

おまさにとって、かけがえのない、優しい父親だった彦六は、おまさが原因で命を落した。

「あたしが怨みを晴らさなけりゃ、お父つぁんは生涯、浮ばれやしません」

それでも束の間の幸せは、おまさの決心をにぶらせた。

が、たまたま昨年、亭主の吉二郎が病死した。一人っ子の大吉も奉公に出た。

そんなときに、東吾の口から、江戸の掏摸の話が耳に入ったものである。

「待てよ、俺の話の中の、どれが、丑松なんだ」

「永代橋で、おもんの相棒になった男です」

「おもん……あれはお前じゃなかったのか」

おまさがまっ赤になった。

「よして下さい。若先生の前で裸になったって女は滝夜叉のおもん……むかしっから丑松の色女なんです」

そういう女がありながら、丑松はおまさに手を出そうとして、彦六の拒絶にあった。

「そうすると、片っぱしから突っ殺したり、斬り殺したりする掏摸の一味には心当りはないのか」

「丑松の仲間だと思います。あの人は御家人くずれの三郎次って男と組んで、前にもそういうことをやっていましたから……」

東吾の話で、丑松がその仲間と江戸で仕事をしているのを知って、おまさは目黒から出て来た。

「彦六の真似をしたのは、あいつらに、お前の所在を知らせるためか」

「そうです。丑松はあたしが江戸へ出て来て、お父つぁんの真似をしていると知ったら、必ず、なにか仕かけて来ます」

果して、昨日、浅草でおまさの袂に文《ふみ》が放りこまれた。

「お前もあきれた奴だな。たった一人で彦六の敵が討てると思ってたのか」

おまさが眼を伏せた。

「あたし、方月館の善助さんからきいたんです、大川端のかわせみって宿は、若先生がよくお出《い》でになるって……だから、あの、ひょっとして……」

東吾は思わず微苦笑した。

「それじゃ、あの手紙をかわせみの女中にみつかるようにしたのも、そういうことか」

「ええ、でも、あてにはしていませんでした。あたし、殺されたっていいんです。丑松にせめて一突き……」

袂《たもと》に忍ばせて来たのは、彦六の形見の匕首《あいくち》だという。

「お父つぁんは、これで人を傷つけたことはありません。でも、あたしは……」

「そんな剣呑《けんのん》なものをふり廻すんじゃねえ。丑松たちのことは俺にまかせろ。そのかわり、連中をとっつかまえたら、俺と一緒に奉行所へ行ってくれ。悪いようにはしない。丑松達の悪事の証人になってもらいたいんだ」

おまさがうなずいた。

「わかりました。あたし、自分だけ罪をまぬかれようとは思っていません」

「大丈夫だよ。お前さんを罪人にしやあしねえ。俺を信用してくれ」

舟は神田川を上っていた。

おまさが舟を下りたのは、仙台堀へ入る手前であった。

東吾のほうは用心して、そのまま、舟で仙台堀を上り、人目のないところで岸へ上る。そこからみえがくれにおまさの後を尾《つ》けた。

神田明神の境内は一万坪からあった。

おまさに大見得を切った以上、なんとしても彼女を守ってやらなければならない。

神田明神には、すでに畝源三郎も来ている筈であった。しかし、これだけ広い境内のどこで丑松がおまさを待ち受けているかがわからない。下手をすれば、おまさの命がなかった。

境内はどこもひっそりしていた。参詣人の姿もなく、社殿に神官のいる様子もない。おまさが末社のほうに歩いて行った。そのあたりは樹木が多い。

末社のかげから男が出た。一人、続いてもう二人、最後に女がおまさの背後をふさぐように立った。

「おまさ、よく来たな」

声をかけたのは正面の男で、東吾は見憶えがあった。やはり、永代橋で半纏を貸した男である。

「今まで、どこにかくれていた……」

「おもんさん……」

おまさが叫んだ。

「あんた、あたしにお父つぁんを殺した下手人を教えてくれるんじゃなかったの」

おもんが薄く笑った。東吾が永代橋でみた、あの顔である。こうして並べてみると、おまさとは似ても似つかない。

「きまってるじゃないか。丑松って男はね、女と金のためなら人殺しなんぞ、屁の河童《かっぱ》さ」

おまさが袂を握りしめた。そこに匕首が忍ばせてある。

「やっぱり、あんたがお父つぁんを殺したの」

「好かねえ老爺《じじい》さ。手前の娘でもねえのに、命がけでかばうことはなかったんだ」

「畜生」

おまさの体が動く前に、東吾は椎《しい》の樹かげをとび出した。

「話はきいたぜ。おまさのかわりに彦六の敵討ちをしてやるぜ」

いきなり、白刃が東吾を襲った。ゆるやかに東吾の体が沈んで、絶叫と共にのけぞったのは三郎次のほうである。

丑松ともう一人が脇差を抜いている。東吾は、おまさを背にかばって、ゆっくり太刀を正眼に直した。

おもんが裾《すそ》を乱して参道のほうへ逃げ出して行く。その一瞬に男二人が同時に突いて来た。体をひねって一人は峰打ち、一人は腰をけっとばした。

「東吾さん」

源三郎の声が境内を走って、そのあとから長助が捕縄をさばきながら土を蹴った。

おもんは、境内を出たところで、長助の若い者に捕まった。

首尾よく男女四人をお縄にして、

「おい、おまさはどこだ」

あたりを見廻したが、どこにも姿がない。

「東吾さんの懐からのぞいているのは、なんですか」

源三郎が気づいて、東吾は小さな結び文をひっぱり出した。どこで書いたものか、仮名文字で、

おとっつぁんのはかまいりをしてきます。あす、いまごろ、ここで　まさ
わかせんせい

「あきれた奴だな」

東吾は文を丸めて境内の池へ叩き込んだ。

五

翌日、同じ刻限。

東吾はるいと一緒に神田明神の境内にいた。

「本当に来るんでしょうかねえ、おまさって人……」

昨夜の「かわせみ」の、るいの居間では東吾をのぞく全員が、おまさは来ないというほうに賭けた。

嘉助もお吉も、源三郎も長助も辰吉も。

「若先生には申しわけありませんが、ああいう連中は、お上ときいただけで、八里も先を逃げて行くっていうくらいのものでございます。いくら、罪人にはしないとおっしゃっても、おいそれと出てくるものじゃございませんですよ」

と嘉助がいえば、お吉のほうはもっと辛辣《しんらつ》で、

「おまさって人が、なんにも悪いことをしてなけりゃ別ですけれど、目黒から出て来て、掏摸を働いているわけですからね。いくら、お父つぁんの敵を討ちたい一念からだって、掏摸は掏摸ですよ。つかまったら、それなりにお仕置を受けると思ったら、とても自首なんぞしませんね。逃げようと思えば、いくらだって逃げられるんですから……」

自分から捕まりに出てくる馬鹿はないといわんばかりだ。

「まあ、東吾さんは人がよすぎますな。そういう人間ばかりなら、手前が背中にひびを切らして町廻りをすることもありませんし……」

畝源三郎までが、あきらめ顔をしてみせた。

「冗談じゃねえ、おまさは俺に約束したんだ。明日は必ず、明神様へやってくるさ」

東吾は一人でがんばったが、多勢に無勢である。

流石に、るいは東吾の気持を考えて、昨夜はなにもいわなかったが、こうして一緒に神田までやって来て、広い境内に立ってみると、どうも東吾が一杯食わされたのではないかという気持が強くなってくる。

それに、東吾がおまさを頭から信じ切っているのも、内心、なんとなく面白くない。

「誰かさんは、きれいな女の人のいうことは、すぐ信じておしまいになるんですものね。今までだって……」

「今まで、俺が誰に欺《だま》された」

「欺されたってわけじゃありませんけど……すぐ面倒をみてあげるじゃありませんか。

おとせさんを狸穴の方月館へおつれになったり……」

「あれは、おとせがかわいそうだったからだ」

「なにかっていうと、女の人に同情するじゃありませんか。おまささんのことだって……お風呂場をのぞいてみたり……」

「馬鹿、あれは刺青が……」

「嘉助にみさせたってすむことじゃありませんか」

「女の裸なんかみたって、今更、どうということはないんだ」

「そうかしら。永代橋の……つかまったおもんって女は、おまささんとは似ても似つかなかったって畝様がおっしゃいましたよ」

「お喋りだな、あいつは……」

すったもんだと口喧嘩をしている中に、気がついてみると、あたりはもうたそがれて来ている。

「来ませんよ、とうとう……」

るいにいわれて、東吾は仕方なく境内を出た。

寒空に長いこと戸外に立っていたから、るいの手は冷え切っている。

「やっぱり、俺はお人よしかな」

るいの手を袖口から自分の袂へ入れて、握りしめながら仙台堀のほとりまで歩いて来た。

近くの船宿へ寄って舟の仕度の出来る間、一杯飲んで待とうと、そっちへ行きかけたとき、いきなり路地から女が走り出して来た。おまさである。

「おい、どうしたんだ」

東吾が声をかけたとたん、おまさは力一杯、東吾を突きとばした。たたらをふんでふみとどまろうとしたが、上体が浮いてしまってはどうしようもない。

るいが悲鳴をあげた時、東吾の体は仙台堀に大きな水音をたてていた。

船宿で借り着をして、「かわせみ」へ帰って熱い風呂であたたまって、やっと人心地がついたところへ、畝源三郎がやって来た。

「ひどいめにあったそうですな」

にやにや笑いながら、差しむかいにすわった。

「源さんの前だが、今度ばかりはまいったね。お人よしの上に馬鹿がつくのは、俺のことだ」

熱燗《あつかん》を二、三杯、それだけでも腹の底からあたたかくなって来たのに、風邪をひくからと、るいは綿入れを着せ、炬燵には、がんがんと火を入れた。

「寒けはしませんか」

「なんだか、ゆでだこにされてるような按配だよ」

「これに懲りて、あんまり女にやさしくしないことですな、と申し上げたいところですが……」

源三郎がくすぐったそうに東吾を眺めた。

「おまさが自首して来ました」

「なんだと……」

「手前を名ざしで、奉行所へやって来たんです」

お膳を運んできたお吉が棒立ちになった。

「本当なんですか、畝様……」

るいですら半信半疑である。

「残念ながら、本当です。すでに神林様が特別のおはからいをもってお取調べを終り、人をつけて目黒へ送らせました。無論、おとがめはありません」

丑松一味のお召捕に力があったということで、少々の掏摸の仕事は帳消しになった。

「勿論、おまさが掏摸を働いたということは、表向きにはなりませんでした」

「源さんもやってくれるじゃないか」

苦笑しながら、東吾は首をひねった。

「しかし、あいつも変ってるな。自首するくらいなら、すんなり神田明神へやって来たらよさそうなものだ」

源三郎が下をむいて、酒を飲んだ。

「おまさは、神田明神へ行ったそうですよ」

「じゃ、どうして出て来なかった。俺達は夕方まで、馬鹿な面《つら》して待ってたんだぞ」

「どうしてだと思いますか」

帳場から嘉助が呼びに来て、るいが出て行ったすきに早口にいった。

「東吾さんが一人じゃなかったからですよ」

「なに……」

「よせばいいのに、おるいさんとべたべたしてたそうですな。おまさはそれをみて、つむじをまげたんです」

「誰が、べたべたなんかするか。白昼堂々あんな吹きっさらしで……」

「だから、女は怖いですよ。好きと嫌いは紙一重と歌の文句にもあるくらいですからね」

源三郎が懐から小さな枝を取り出した。梅が一輪、咲いている。

「おまさが東吾さんに渡してくれといいましてね、明神様の境内に咲いていたそうです」

「馬鹿、そんなもの、かわせみに持ってくる奴があるか」

るいの足音が廊下を戻って来た。

たった一輪なのに、部屋には花の香が甘くただよっている。

千鳥《ちどり》が啼《な》いた

一

二、三日、陽気がよくなって来たかと思うと、急に寒さがぶり返して、まだまだ春は浅いと江戸の人々が、がっかりした夜更け、東吾は、兄の神林通之進の供をして、小日向の斎藤式部の屋敷へ出かけていた。当主の岳父である、隠居の桃斎の初七日の法要のためである。

斎藤家は神林兄弟の亡母の生家であった。

伯父の桃斎はどちらかといえば学者肌の人で、生前は文人や画家との交遊が深かった。で、息子の式部も、法要を格式ばったものにしないで、亡父の好物だった酒や肴《さかな》を用意して、静かに思い出話をしてもらうのがなによりの供養といい、客も更けるまで席を立たなかった。

通之進はこの伯父から幼少の頃、四書五経の講義を受けたこともあり、当主の式部とは年齢も近いので、なにかと話が終らない。

東吾はもっぱら従姉妹たちをからかったり、からかわれたりしながら裏方を手伝っていた。

客がすべて帰り、通之進が斎藤家を辞したのが三更を過ぎていた。

真夜中の空は満天の星で、東吾は兄の駕籠脇《かごわき》につき、若党二人が提灯《ちょうちん》で足許を照らしながら、江戸川のふちを大曲までやって来た。

「東吾、寒くはないか」

駕籠の中から通之進が気遣い、弟は、

「いや、兄上とは若さが違います」

笑いながら応酬した。こういうこともあろうかと、出がけに兄嫁の香苗が紋服の下に真綿をそっと重ねてくれている。そんな義姉《あね》の仕草に、ふと亡母を思い出したものであった。

それに、ほどほどに飲んだ酒で腹の中は温かであった。

「お前は飲めるから良い。わしは茶腹で閉口したぞ」

それに東吾が答えようとした時、先頭を歩いていた若党の足が、不意に止った。

暗い道から数人の男が走り出して来た。殆《ほとん》ど出会い頭という感じで、むこうもぎくと、こちらを凝視する。

「兄上、狼藉者《ろうぜき》のようですぞ」

声をかけておいて、東吾は若党の提灯をとり、かかげて、相手をみた。

人数は七、八人、まだ路地の暗がりに二、三人はいるのかも知れない。面を黒い布でかくし、腰に大小、袴の股立《ももだ》ちをとっているところは、近頃、世上で噂になっている勤皇浪士と称して金のありそうな商家や仏閣をねらって夜盗を働くという連中ではないかと東吾は判断した。

「待て、何者だ。なんのために夜中《やちゅう》、徘徊する……」

いつの間にか駕籠を下りた通之進が誰何《すいか》したとたんに、逃げ腰だったのが、いきなり抜刀した。

「東吾」

兄の声より早く、東吾は提灯を若党へ返していた。襲いかかって来た奴を抜き打ちに斬る。続いてもの凄《すご》い突きが来たのをかわしておいて、体当りで川へ突き落した。

ふりむくと、通之進も刀を抜いていた。東吾は兄の前へかけ戻った。

相手は抜刀した三人が前へ出ている。いずれもかなり遣えそうであった。道場剣法でなく、何度も修羅場をくぐりぬけている。その証拠には仲間が二人、やられているのに逆上もせず、むしろ、しんと鎮まりかえっているのが不気味であった。

駕籠は川っぷちに、通之進は駕籠の前に立ち、東吾は兄を背にして油断なく身がまえていた。

この連中が噂の強盗なら一網打尽にしたいところだが、迂闊《うかつ》には斬って出られない。

この夜の暗さの中では尚更である。

その様子をみて、何人かが、そろそろと後退しはじめた。逃げられてはまずいと東吾はあせった。

「出会え、賊だ……」

その声に呼応するように前方に男が一人走って来た。

「御助勢仕《つかまつ》る……」

白刃のぶつかる音がして、東吾も守勢から攻撃に転じた。

ばしっと濡れ雑巾を叩きつけたような音がして、夜の中に血の匂いがする。

いい具合に、かなりむこうの竜慶橋の袂《たもと》の辻番所が気がついて、提灯をかかげて人がとび出してくる。近所の旗本屋敷からも人が出て、暗い川っぷちが俄《にわか》に明るくなった。

その提灯の光の中で、東吾は助っ人に現われた男の顔をみた。

「伊太郎……」

「先生……」

「手加減するな。こいつら、盗っ人だ」

路上には銭箱がころがっていて、そのあたりには小判が散乱している。

「東吾、殺すな、死なぬ程度に叩き伏せろ」

通之進の声にも余裕が出来、東吾は逃げ出そうとした賊の一人に峰打ちを浴びせた。

夜があけてからわかったことだが、斬られた者が三人、叩き伏せられて召捕られたのが五人で、逃げたのがおそらく二人か三人であろうと思われた。

この連中が襲ったのは、小日向の常泉院という寺で、たまたま、本堂の修復のために金集めをしていたのを、盗まれたのだったが、その銭箱は東吾に斬り立てられて逃げる際、そっくり放り出して行ったから、無事、常泉院へ戻された。

「やはり、このところ、勤皇浪士と名乗って強盗を働いていた一味でした」

翌日、東吾が八丁堀の屋敷へ戻っていると、同心の畝源三郎が報告に来た。

「このたびのお召捕でわかったことは、思いの外に一味の者の数が多いということです」

捕まった者を取調べてみると、勤皇党の軍資金集めと称して江戸を荒している一味は、いくつもの徒党を組み、主《おも》だった者がそれぞれの配下を指揮して強盗を働いている。

つまり、それぞれの組の首領格の者以外は全体の仲間の名も顔も知らない。各組の首領達はたがいに連絡をとり合いながら、軍用金調達の押し込みをやっているが、配下の者は自分達の組織がどうなっているのか、一番上で采配をふっているのは誰なのか、全く知らされていないという。

「東吾さんが斬った三人が、あの組の首領格だったようで、つかまったのは雑魚《ざこ》のほうです」

侍くずれもいるが、遊び人、ならずものの寄せ集めで、盗んだ金の中からいくらかの報酬をもらうのをあてにして仲間に加わっている連中である。

「そうすると一味徒党は、まだ、かなりいるということか」

「そうです」

おそらく、その筋の糸をたぐって行くと、糸の先端を握る者は西国の大名の江戸藩邸あたりにいると見当はつくものの、

「まず、そこまではたぐれますまい」

仲間の集め方からみても、奉行所の手が及ぶ手前で、むこうから糸はいつでも切り捨てる用意があるに違いないと源三郎はいう。

「むこうさんの目的は、世の中をさわがし人心を不安に陥《おとしい》れることですから……」

「卑怯な奴らだな」

金を奪われ、容赦なく斬り殺されているのは、罪もない庶民達であった。

政治工作という大義名分で、群狼のような連中をあやつって手当り次第の切りとり強盗を働かせている。

「ともかくも、町方としては群狼狩りから手をつけるより仕方がありません」

そんな話をしていて、源三郎がちょっと困った顔をした。

「神林様からうかがって来たのですが、伊太郎と申す者は、東吾さんの弟子だとか……」

東吾は苦笑した。

「まあ、そういうような者なんだ。狸穴《まみあな》の方月館へ稽古に来ていてね」

「武士ですか」

「親はあのあたりの大百姓なんだが、なんでも本当の父親が侍だそうで、そんなところから剣術をやりたいといって来たんだ」

方月館では、主の方斎の考えで、武士の子も郷士の悴も、みな同じ扱いを受けている。

「狸穴に住んでいるんですね」

「そうだ」

「なんで昨夜、小日向にいたのですか」

しかも、夜更けの川っぷちである。

「そいつを訊こうと思っている中に、姿がみえなくなっちまったんだ」

まさか消えてなくなるとは思わないから、東吾も気を許していた。

「手前は、これから狸穴へ行って来ます」

「伊太郎があやしいってのか」

「東吾さんの助勢をしたことですし、賊を一人、斬っていますから、よもやとは思いますが、昨夜、何故、あの場所にいたのかは訊いておきたいと思います」

当人が狸穴へ戻っていればなによりだが、という源三郎に、東吾も、はっとした。

「俺も行こう」

代稽古とはいいながら、伊太郎に剣を教えたのは東吾であった。

昨夜、提灯のあかりの中で、東吾をみつけ、

「先生」

と叫んだ、まだ稚《おさな》さの残っている伊太郎の声が耳に残っている。

兄嫁の香苗に事情を告げて、東吾は源三郎と狸穴へ発《た》った。

方月館へ着いたのが、もう日が落ちようという夕暮で、門の前の空地で犬と遊んでいた正吉が思いがけない東吾の姿に丸くなってとびついて来た。

方月館で奥向きの一切を取りしきっているおとせの一人息子で今年六歳になる。赤ん坊の時に実の父親と死別したこの子は、まるで東吾を父親のようになつきもしているし、慕っている。

「大きくなったな、正坊……」

この子と母親のおとせが、まだ日本橋本町の薬種問屋で暮していた時分、危く犯人にされかかったのを助けて以来のかかわり合いで、畝源三郎も親しみをこめて肩を叩いた。

「おっ母さん、若先生だよ……」

正吉の嬉しそうな声が門の中へ走りこみ、

「これは、若先生」

下働きの善助のあとから、おとせがこぼれるばかりの微笑《ほほえみ》で東吾と源三郎を出迎えた。

「ちょうどようございました。伊太郎さんがみえているんです」

遠路はるばるやって来た二人のためにすすぎの水を桶にとりながら、おとせがいい、

東吾は源三郎と顔を見合せた。

「伊太郎が来ているのか」

「はい」

「いつ、来た」

「お昼前にみえて、ちょうど方斎先生がお出かけでしたので、ずっと道場でお帰りをお待ちでした。つい、先程から先生のお居間で話し込んでいらっしゃいます」

昼より前に方月館へやって来たとなると、小日向の事件のあと、まっすぐに狸穴へ戻って来たものと思われた。

善助が奥へ取り次ぎに行き、

「方斎先生がお居間のほうへお出で下さるようにとおっしゃってでございます」

という。東吾は源三郎と共に居間へ行った。

方斎の前に、伊太郎が小さくなっている。

「昨夜は、思わぬところで伊太郎がお役に立ったようだな」

方斎にいわれて東吾は手を突いた。

「そのことにつきまして、畝源三郎と参りました」

「そうであろう。黙って立ち去ったのは、如何《いか》にもまずかったと申して居ったところじゃ」

源三郎が一膝、進めた。

「手前が承りたいのは、昨夜、あの時刻に、何故、小日向に参っていたかの一点でござる」

伊太郎が浅黒い顔を上げた。十八歳にしては大柄なほうだが、昨夜の乱闘のような経験は、はじめてのことであり、まだ興奮のさめ切らない表情である。

「そのことにつきましては、只今、大《おお》先生にお話し申して居りました」

「わしから話そうか」

と方斎。

「いえ、手前が申します」

親の恥になることながら、と低く前おきしてから、

「昨日、手前が小日向へ参ったのは、父の屋敷をみるためでした」

生まれてはじめて出かけて行った江戸の町のことではあり、勝手がわからず、さんざん迷い歩いて小日向へ着き、何人かに訊ねて、その屋敷の前へ行った。

「もとより、門の中へ入るつもりはありません。ただ、この門の中に実の父が暮しているのかと思うと、なつかしくて……」

塀の周囲をあてもなく歩いたり、たたずんだりした。

それがもう夕刻のことで、人にみとがめられそうになったので伝通院のほうへ行き、蕎麦屋《そばや》の二階へ上って腹ごしらえをして少々の酒を飲んだが、一日中歩き廻った疲れが出て、どうにもねむくて仕方がない、ちょっと横になったとたんにぐっすりねむり込ん

でしまって、やがて店の親父《おやじ》から、もうしまいますからと叩きおこされた。夜はすでに更けている。

どこかの神社仏閣の御堂で夜あかしをするつもりで、足は再び、実の父の屋敷の方角へ向っていた。

「賊をみたのは、大曲へ出てからでございます」

通行人が襲われたと思い、助勢にかけつけて行った。

「血の気の多い奴だな」

東吾が笑い、伊太郎は大きな体をすくめるようにした。

「生兵法《なまびょうほう》は怪我の基と申すではないか」

しかし、昨夜の伊太郎の出現は、東吾にとって、まことに都合がよかった。賊は思いがけない助っ人によって足並みを乱し、大事な銭箱まで放り出して逃げた。

「それにしても、俺に黙って狸穴へ帰ったのは何故だ」

伊太郎は更に小さくなった。

「若先生に、何故、こんなところにいたとお訊ねを受ければ、親のことを申さねばならぬと思いまして……」

慌てて姿をかくしたという。

「どうだ。源さん、伊太郎にまず不審はあるまい」

伊太郎が方月館を辞してから囲炉裏のある板の間でくつろいで地酒を飲みながら、東吾は早速、いった。

人情で自分が剣を教えた若者が疑いをかけられるのは、正直のところ、不快である。

「伊太郎の実の父親は御書院組の吉田織部様だそうですな」

伊太郎が帰ってから、方斎が話したことであった。

伊太郎の母のお多江というのは、若い頃に吉田家へ女中奉公に上っていて、そこで主人のお手がついた。

「織部様とおっしゃるお方は聟《むこ》養子だそうで、まあ、下世話ないい方でございますが、奥方様には頭が上らない。御自分の不始末が奥方様に知れない中に、お多江さんに暇を出したんだそうですが、お多江さんはみごもっていて、麻布の実家へ戻ってから伊太郎さんを産んだんでございます」

このあたりの住人のことにはくわしい善助は地獄耳で、誰に聞いたのか、そんなことまで知っている。

お多江というのは気だてのいい女で、伊太郎を産んで暫《しばら》くしてから、狸穴の松本庄右衛門という男のところへ嫁いでいった。名主の家柄で、苗字帯刀を許されてはいるが、庄右衛門は武ばったことの嫌いな、温厚な大百姓で、なにもかも承知の上でお多江と夫婦になり、伊太郎を我が子として養育して来た。

「お多江さんと庄右衛門さんの間には子供が出来ませんでしたから、伊太郎さんがあとつぎということで……ですが、伊太郎さんはどうも侍になりたいようで、やはり、血筋というものでございましょうか」

　善助の話をきいて、その夜は方月館へ泊り、翌日、江戸へ戻ろうとしているところへ、伊太郎の両親が訪ねて来た。昨夜、善助の話に出て来た庄右衛門と女房のお多江である。

二

　会ってみると、成程、善助がいったように、庄右衛門は素朴な人柄で、お多江はもう四十に近い筈だがしっとりと落ちついた中にも品のいい色気を感じさせる女ぶりである。

「実は以前より若先生にお話し申したものかと、家内《これ》とも話し合って居りましたが、昨夜、伊太郎より、お奉行所のお方がお出でになっているとききまして……」

　思い切って、夫婦そろって出て来たという。

「伊太郎は私共に遠慮して、なかなか本心を申しませんでしたが、侍になりたい気持が強く、どんなに身分は低くとも、吉田様へ御奉公をしたいと願って居ります」

　親としては、息子がそれほど思いつめているものなら、その望みをかなえてやりたく、

「なんとか吉田様にお願いして、侍奉公の出来るよう、お口添えは頂けぬものでございましょうか」

　吉田織部は十八年前にお多江が自分の子を産んでいるのも知っているし、その折、父親の証しとして、吉田家に伝わる千鳥の文様のある刀の鐔《つば》をお多江に贈って来ている。

「だからといって、決して殿様のお血を引く者と名乗って参るつもりはございません。

ただ、小者でも仲間《ちゅうげん》でも御奉公が出来ればと申して居ります」

義理の父親は畳に頭をすりつけ、母親はそっと涙を拭いている。一人息子が田舎暮しを嫌って、江戸へ出て武士になりたいという。しかも、その息子の体の中を流れている血はれっきとした旗本と知っていては、無下《むげ》に叱ることも出来ない夫婦の気持に、東吾も源三郎も、ふと、ほだされた。

「然《しか》るべき筋を通して、吉田織部様のお耳に入れてみましょう。その上でまた……」

東吾がそう返事をしたのは、従兄弟の斎藤式部は、吉田織部と同じ御書院組で屋敷も近い。なんとか、兄の通之進から旨《うま》い具合に話が出来るのではないかと考えたからであった。

安請合いをしている中に狸穴を発つのが遅くなって、八丁堀へ帰って来たのは日の暮れ方、東吾は兄の屋敷へ戻らず、まっすぐ大川端の「かわせみ」へ草鞋《わらじ》を脱いだ。

「狸穴へいらしたんですって……」

風呂へ入って、上から下までさっぱりと着がえさせられてから、るいの部屋の炬燵《こたつ》にあぐらをかいて、酒という段どりになってから、るいがいい出した。

「嘉助が畝様のところの甚七さんにきいて来たんですよ」

「かわせみも耳が早いな」

かくすほどのことではないので、伊太郎の身の上話をすると、

「だから男って勝手なんですよね」

長火鉢の上で、ちり鍋を煮ていたお吉が、例によって遠慮のない口をはさんだ。

「御奉公に上ってる者にお手をつけて、子供まで産ませて、奥方が恐いから、それっきりなんて情ない、それが立派な殿様のなさることですか」

「それっきりってんでもなさそうだぞ。屋敷を下る時には、それ相応のお手当ももらったらしいし、父親の証しとして刀の鐔をよこしたそうだ」

「お金じゃありません。情のことですよ」

「まあ、家付き娘のおっかない奥方様の目が光ってるんじゃゃ、情をかけてやりたくとも、どうしようもねえんだろう」

金象嵌《きんぞうがん》で千鳥を打ち出した刀の鐔は美しいものであった。いずれ、名のある職人が作ったに違いない。

晴れて我が子と呼ぶことの出来ない我が子へそれを贈った吉田織部の心中を東吾は考えていたのだが、

「その、伊太郎さんとおっしゃる方、お侍になってお幸せになるでしょうかねえ」

るいが考えるような眼をした。

「狸穴の育ての親御さんはいい人のようだし、そこで大人しく名主様におなりなすったほうがよろしいんじゃありませんか」

「当人は武家奉公がしたいんだ。実の父親の傍にいたいんだろう」

「厄介なことになりませんか」

「別に吉田家の跡をとりたいっていうわけじゃねえ。奥方だって、もう不惑の年を越えてるんだ。今更、焼餅でもないだろう」

「それは、殿方のお考えですよ」

「女は執念深いか」

笑い声が上ったところへ、嘉助が、

「畝様がおみえです」

障子の外から声をかけた。

源三郎は先刻、別れた時の恰好であった。

「昨夜、蔵前の鶴伊勢屋が、例の一味にやられていまして……」

草鞋も脱ぐひまもなく、浅草まで行って来たという。

鶴伊勢屋というのは蔵前一の料亭であった。

その看板に、諸国御代官所、御預所、御蔵元出役之節御休息所、御茶屋、と謳《うた》っているように蔵前の札差へ用談があって出かけてくる武士の休憩所でもあり、宿泊の用も足し、時には密談の場所にもなる格式の高い店であった。

「盗まれた金は八百両余り、これは或る藩の重役に用立てていたのが、たまたま返却されて来たのだそうで、それればかりか、主人の平治郎と悴の松之助、それに平治郎の女房が斬殺されています」

「おかみさんまで殺されたんですか」

早速、源三郎のためのお膳を運んで来たるいが驚いた声をあげた。

「奉公人は、どうなんだ」

大きな店のことで、使用人の数は少くない筈であった。

「番頭は通いで夜は居りませんが、板前や女中、それに手代と小僧が寝泊りして居ります」

賊が入った物音に気がついたのは、帳場のすぐ上の部屋に寝ていた手代の佐助だが、

「日頃、主人の平治郎は店の者に、もしも、盗賊に入られても、決して手むかいをしてはならない、金はとられてもなんとかなるが、命はとりかえしがつかない、じっとして部屋から出るな。と申していたそうです。それで、佐助も小僧も、息を殺してかくれていたというのですが……」

物音がすっかりやんでから、おそるおそる階下へ行ってみると主人夫婦は寝間で殺されて居り、息子の松之助も自分の部屋で朱《あけ》に染っていたという。

「板前や女中は別棟なので、これは手代が知らせてくるまで、なにも知りません」

賊の入った時刻は、子《ね》の下刻（午前零時すぎ）、商売柄、夜の遅い店のことで、ちょうど寝入りばなでもあった。

「ひでえことをしやがる」

夜寒の中を歩き廻って、かなっこおりになっている親友の盃に熱燗《あつかん》の酒を注いでやりながら、東吾が舌打ちした。

「どうも腑に落ちないことが二、三あります。明日、もう一ぺん、出むいてみようと思っていますが……」

「許せねえ連中だ」

ちり鍋をせっせと平らげて、お吉が煮て来た芋粥《いもがゆ》を三杯。

「なんでしたら、明日、迎えに来ます」

やっと人心地のついた顔で源三郎は帰って行った。

「あきれた。結局、東吾様を誘い出しにみえたんじゃありませんか」

二人だけになって布団を並べてから、るいがいい、東吾は苦笑した。

「いいじゃねえか、どうせ、こっちは暇なんだ。源さんの手伝いでもしていなけりゃ、日が暮れねえ」

「危いことはしないで下さい」

恋人の腕の中で、るいは訴えた。

「小日向でお会いになった賊は、随分、腕が立ったっていうじゃありませんか」

「あの時は、兄上が一緒だったから手加減したんだ。今度は一人残らず叩っ斬ってやる」

「お怪我なんかなすったら、いやですよ」

「女房を泣かせるようなことはしねえよ」

男の顔がかぶさって来て、るいは身をくねらせるようにして東吾を迎えた。東吾が狸穴から帰って来た夜は、いつもより、るいの体がすみずみまで過敏になっているようであった。心のどこかに、おとせの存在がある。

別に東吾とおとせになにかあるとは決して思っていないのだが、それでも、おとせが東吾の稽古日を指折り数えて待っているらしいのは女の勘でよくわかる。おとせの息子の正吉が東吾を父親のように慕っているというのも、気になるところであった。

「おい、なにを考えてる」

東吾が耳のそばでささやいた時、るいの体はもう火がついていた。思考はそこで切れ、熱い息が唇を突いて出る。るいはかすかに首をふりながら東吾の背に廻した両手に力をこめた。

翌朝、るいのほうは全身にけだるさが残っているというのに、東吾はけろりとした顔で迎えに来た源三郎と威勢よく「かわせみ」を出かけて行った。

浅草御米蔵は大川の西岸にあった。一番堀から八番堀まで堀をひき込んで、諸国から集ってくる米が、この蔵に運ばれる。

蔵の前の通りが、俗に蔵前通りで、なにせ人の集るところだから商いの店も賑やかに軒を並べていた。

鶴伊勢屋があるのは、御蔵前片町で店のかまえも家の造りもなかなか豪勢なものである。

が、今日は入口に忌中の札が出て、くやみの人もひっそりと裏口から出入りをしている。

主人夫婦と息子の遺体は奥座敷に安置されていた。

「漸《ようや》く、お上のお許しが出ましたので、間もなく湯灌を致しまして菩提寺《ぼだいじ》へ参りますそうで……」

このあたりの岡っ引の寅松というのが、源三郎に告げている。

鶴伊勢屋の地所が浅草の裏のほうにあるので、そこを湯灌場にするとのことであった。

「手前の地所で湯灌場が出来るんだから、大層なものだな」

東吾がささやいたのは、当時、金持は自分の地所で湯灌をするが貧乏人は寺の湯灌場へいきなりかつがれて行くときまっていたからで、そういう意味でも鶴伊勢屋の裕福なことがよくわかった。

死体三つはどれも前からやられて居り、主人の平治郎は袈裟《けさ》がけに斬られ、女房と息子は胸を一突きにされている。抵抗した跡はなかった。

「おそらく、物音ではっと起き上ったところをやられたものでしょう」

賊の侵入したのは、表の玄関からで戸口が叩きこわされている。

主人夫婦の部屋も息子の部屋も、表からはかなり遠かった。

料亭のことで表に近いところは座敷になっている。幸い、泊り客はなかった。

「成程、源さんが気になる筈だな」

ぐるりと鶴伊勢屋の内を改めて、東吾は源三郎を誘って同じ片町の小さな茶店へ入った。

ここは鶴伊勢屋と違って、文字通り、ちょいと腰かけて茶や団子で一休みする店であった。

「賊は金が目的で鶴伊勢屋をねらったので、その金は店にありました」

首尾よく八百両からの金を手にした賊が、どうして、わざわざ、奥のほうまで入って来て主人夫婦や息子を殺害したのか、と源三郎はいう。

「奥に、もっと金がおいてあると思ったのか」

「それにしても、主人は日頃、奉公人に賊が入ったら手むかいはするなといましめて居ります。その主人が抵抗するとは思えませんし、実際、手むかった痕跡はありません」

死体のあった場所はいずれも夜具の中で、逃げ出そうとして斬られたというのでもない。

「そうすると、斬るのが目的だったのか」

「なんのためですか。鶴伊勢屋が勤皇浪士を名乗る一味に怨みをもたれていたということでしょうか」

「それにしても、主人夫婦や息子の寝ている部屋がよくわかったな」

「一味の中に、鶴伊勢屋の内部にくわしいものがいたのかも知れません」

渋茶をすすっていると、寅松が二人の若い男を伴って来た。手代の佐助と喜八だと引き合せた。

「お前だな。店の二階にいて、賊が入ったのに気がついたというのは……」

東吾が声をかけたのは佐助のほうで、年は二十一、どちらかといえば男前で体つきも華奢なほうである。

「賊かどうかはわかりませんでしたが、変な物音で目がさめました。特に大きな物音ではなく、耳をすましても話し声などは聞えませんでした」

「しかし、入口を叩きこわしているんだ。あれだけ乱暴にぶっこわしたんだから、ひどい音がした筈だが……」

佐助がうなずいた。

「目がさめてから大きな音を二度ばかり聞いたように思います。なにか障子や襖《ふすま》を突きやぶるような……」

「目がさめてからというのはおかしかないか。その時はもう賊が家の中へ入っていた筈だ。その音で目がさめたんだろう」

賊は入口を叩きこわして入っている。

「ひょっとすると、その音で目がさめたのかも知れませんが……」

逆上して、なにがなんだかわからなくなったのだろうとうなだれている。

もう一人の手代は二十五ということであった。佐助にくらべると器量はよくなかった。醜男《ぶおとこ》といってはかわいそうだが、小男で風采も上らない。

「手前は奥の布団部屋に寝ていました。いきなり、もの凄《すご》い音で目がさめて、廊下を人が歩く音がしました。ああ、泥棒が入ったと思い、怖くて布団をかぶってじっとしていましたんで……」

布団部屋を這い出したのは、佐助が階下へ来てからのことである。

「お前は、いつも布団部屋に寝ているのか」

東吾が訊き、ちょっと口ごもった喜八のかわりに佐助が答えた。

「喜八さんは浅草橋におっ母さんと暮して居ります。おとといは帰る前から腹が痛み出して、それで家へ帰らず、泊ったものですから……」

「そいつは運が悪かったな。おっ母さんが、さぞ心配したろう」

東吾がいうと、喜八は二、三回たて続けにお辞儀をした。容貌も悪いが、あまり機転のきくほうでもなさそうであった。

「鶴伊勢屋ともあろう店が、随分、出来の悪い手代を使っているんだな」

二人が帰ってから東吾がいい、寅松が困った顔をした。

「実をいいますと、喜八というのは主人の平治郎が若い時に岡場所の女と深い仲になって産ませた子でして……まあ、そういうところの女のことですから世間体も悪いし、平治郎にはおかみさんとの間に跡取り息子も出来ています」

で、女は岡場所から足を洗わせて、浅草橋の近くに小さな家を買ってやって小間物を商わせ、喜八を育てられるようにしてやった。

「まあ、ごらんのように人は悪くはございませんが、あんまり出来のいい人間ではありませんので、思うようなところではやとってもくれません。人情で、結局、鶴伊勢屋が下働きをさせまして、名目は手代ですが、どうせ、まともな仕事は出来ません。庭の掃除とか薪割りとか、それでも、当人は満足しているようです」

「しかし、鶴伊勢屋はあいつが継ぐことになるんじゃないのか」

主人夫婦と息子が殺されてしまっている。

「まあ、血筋からいえばそうでしょうが、あれでは主人にはなれますまい。親類も承知はしないでしょう」

渋茶と団子を食べてから、東吾と源三郎は浅草橋へ廻った。

喜八の母親は福井町で小間物屋をやっている。猫の額ほどの店には人もやとっていないらしく、初老の女がぽつんと店番をしていた。

「たしか、まだ四十五、六と思いますが……」

と寅松がいうにしては老けて、脂が抜けている。

「若い中に苦労をした女は老けるのも早いようで……」

路地をぐるりと廻ってから、東吾と源三郎は浅草橋の袂で寅松と別れた。

「源さんは喜八を疑っているのかい」

別れしなに、源三郎が寅松になにかいいつけているのを眺めていた東吾が歩き出してから訊いた。

「今のところ、疑われているのは佐助のほうです」

「あの二枚目か」

「佐助は鶴伊勢屋の女房の遠縁に当ります。しかも、つい先ごろ、深川の芸者に熱くなって、店の金を使いこみ、それが知れて主人夫婦からかなりきびしくとがめられたそうです」

「成程、動機はあるな」

「喜八でひっかかるのは、いつも通いなのに、あの晩に限って腹痛で鶴伊勢屋へ泊ったことですが、これは偶然といえないこともありません。それに、仮にも血の続いた父親と兄を殺せるものでしょうか」

「殺したのは賊だろう」

「手引きをして殺させたとみるべきでしょう」

「とすると、前から一味の仲間だったということになるのか」

「なにかで、一味の一人と知り合って、ということも考えられます」

そんな話をしながら大川端の「かわせみ」へ戻ってくると、

「狸穴からおとせさんが正吉さんをお伴《つ》れになって……伊太郎さんとおっしゃる方もご一緒ですよ」

るいがいつもより女房っぽい仕草で東吾の太刀を受け取りながら告げた。

「おとせさんは正吉っちゃんのお父さんとおじいさんの年忌が近いんで、その御用事で菩提寺へいらっしゃって、伊太郎さんのほうは藤の間へお通ししてありますけど……」

それで、東吾は、はっと思い出した。

「いかん、例の件を兄上に頼んでなかった」

狸穴から戻って、まだ兄の屋敷へは戻っていない。

「るい、ちょっと屋敷へ帰ってくる。夜、出直してくるから、連中を頼むぞ」

東吾は慌てて八丁堀へとんで行った。

三

伊太郎は当分、「かわせみ」に滞在することになった。どうしても、実の父親の屋敷に奉公すると決心して出て来たらしい。

「晴れて親子と名乗れずともかまいません。仲間、小者でけっこうです」

と思いつめている。

おとせのほうは三、四日、江戸にいて法要をすませて狸穴へ戻る予定で、最初は別に宿をとるつもりだったが、

「水くさいじゃありませんか。そんなことをしたら、私どもが東吾様に叱られます」

るいが強引にくどいて、やはり、「かわせみ」の梅の間へ厄介になることになった。

毎朝、東吾は「かわせみ」へ正吉を迎えにやって来て八丁堀の屋敷へつれて行く。

「かわせみ」は客商売だから、小さい子供が走り廻って、他のお客の邪魔になるといけないから、という兄嫁の香苗の配慮だが、東吾にしてもおとせの前でるいとの仲をみせ

つけるのはどうも照れくさかった。それで、屋敷で夕飯まで遊ばせては、夜になって「かわせみ」へ正吉を送り届けるとそそくさと帰って行く。一番、喜んでいるのは正吉であった。

その日、おとせの亡父、亡夫の法要が無事に終って、明日は狸穴へ帰ろうという夕方、せめて今夜はるいの部屋で東吾もおとせや正吉と飯を食おうということになって、伊太郎も一緒に膳についていた。

箸《はし》をとるかとらない中に、嘉助が畝源三郎の来訪を告げて来た。

「鶴伊勢屋の件ですが、賊の手引きをした者がわかりました」

意外にも喜八のほうだという。

「寅松に、ずっと見張らせて居りましたところ、とうとう尻尾を出しました」

夜更けに浅草橋の家をぬけ出した喜八は尾《つ》けられているとも知らずに新鳥越町のはずれにある蓮花寺という破《や》れ寺へ入って行った。

そこがどうやら一味の連絡所のようなところで、喜八の他に人相風体のよくない連中や浪人者などが出入りをしていたという。

「これは手前の当推量ですが、喜八が鶴伊勢屋を継ぐのにもっとも反対しているのは、坂本屋の主人だそうです」

蔵前の札差の一人で、鶴伊勢屋とは遠縁ながら親類になる。

「で、それとなく坂本屋のほうを探ってみますと、ここ数日、坂本屋にはまとまった金がおいてあるようです」

近日中に或る大名へ用立てる金とのことで、

「ひょっとすると、喜八はそれを一味に知らせに行ったのかも知れません」

「ついでに、坂本屋の主人を殺すわけだな」

「無駄かも知れませんが、坂本屋のほうには手前の一存で少々の手配をしました。手前も今夜、張り込むつもりです」

「いいとも、源さん、片棒かつぐぜ」

大いそぎで腹ごしらえをして出かけようとすると、いつの間にか伊太郎が玄関に出ている。

「手前もお供します」

「よせ、風邪をひくぜ」

「決して捕物のお邪魔はしません」

「いいじゃないですか。助っ人を頼みましょう」

思いがけなく、源三郎がいい、東吾はちょっと意外な顔をしたが、そのまま、連れ立って外へ出た。

提灯が要らないくらいの月明りであった。

「賊にとっては、あいにくですな」

蔵前が近くなってからは、要心深く暗がりを縫うようにして坂本屋へ近づいた。

寅松は米蔵のかげで源三郎達を待っていた。

やがて子の刻（午前零時頃）である。

蓮花寺に張り込ませてあった寅松の下っ引が息せき切って知らせに来た。

総勢十一名、舟で今戸から下ってくるという。

直ちに蔵前の舟着場にも人数が配された。

暗がりで待つことしばし、やがて舟から上った十一人は三人が坂本屋の裏口へ廻り、表に残った八人の中の一人が、おもむろに戸を叩いて声をかけた。喜八である。

中から応答があり、戸が開いてとび出して来たのは、あらかじめ源三郎が配置した捕方たちで、直ちに木戸が閉められ、暗やみにひそんでいた源三郎配下の捕方が賊を囲んでの大捕物になった。東吾は腕のたちそうな相手をえらんで叩き伏せて行く。

坂本屋では用意の高張提灯に火をともして捕物の手助けをした。

十一人はことごとく捕縛され、喜八も召しとられた。

「喜八は親兄弟を怨んでいたんだな」

翌日の「かわせみ」のるいの居間では例によって、「かわせみ」の嘉助からお吉、それに昨夜の捕物に一役買った伊太郎や、狸穴へ帰るのを一日延ばしたおとせと正吉までが加わって東吾の話に耳を傾けた。

「喜八は平治郎の妾腹の子だ。平治郎は喜八の母親が岡場所の女でもあり、喜八という男がみかけも頭もよくないので、我が子ながらあまり情が湧かなかったようだ」

仕方なく店へおいて下男がわりに働かせていたが、喜八にしてみれば、同じ平治郎の子なのに、本妻の子のほうは若旦那と呼ばれ、奉公人を使っている。それにひきかえ、自分は下働きと、まず、そのあたりから怨みを持つようになった。

たしかに、鶴伊勢屋での喜八の居心地はよくなかったらしい。平治郎の女房は、亭主の浮気の落し種の喜八に対して、最初からいい気持でなかっただろうし、平治郎も女房や息子の手前、喜八を叱ることはあっても優しくしてやるわけには行かなかった。喜八の出来の悪いのを奉公人に対して恥じる気持もあっただろう。奉公人も主人達がそんなだから安心して喜八を軽んじるようになる。

本来なら母親ぐるみ、鶴伊勢屋の厄介になっているのだから、恩に思わねばならないところを、喜八の気持は逆に怨み、憎しみの思いのほうが強くなった。

「面白くないから、つい、悪い仲間とつき合うようになる。その連中に誘われて出入りしている賭場で、一味の一人と知り合ったそうだ」

喜八が鶴伊勢屋の妾腹の子で、親に怨みを持っていると知って、一味の首領が喜八に智恵をつけた。

「智恵の足りない喜八を利用して、鶴伊勢屋へ押し込みに入り、主人夫婦と息子を殺したんだ」

「考えられません」

叫ぶようにいったのは伊太郎で、

「いくらなんでも、血の続いている親や兄さんを殺させるなんて……人のすることではありません」

東吾が伊太郎をみつめた。

「たしかに、お前のいう通りだ。まともなら、血の続いた親兄弟に刃が向けられるわけがない。しかし、人間って奴は怖いもので、一つ、歯車が狂って憎み出すと、他人よりも肉親のほうが怨念が強くなるのも本当のことだ。喜八のように、親殺し、兄殺しとまでは行かなくとも、親子兄弟で憎み合い、たがいに相手の不幸を願っている例は、世間にままあるんだぜ」

嘉助も傍からうなずいた。

「おっしゃる通りでございます。手前が捕方をつとめている時分にも、今度のようないやな出来事が二度や三度ではございませんでした」

親の財産争いのために、兄弟が殺し合いをやったり、

「あれは旗本でしたが、殿様が下の息子さんを可愛がって、兄さんのほうを廃嫡《はいちゃく》にしようとして、実の悴に斬られるって事件もございました」

憎しみは、むしろ他人より血のつながっている者同士のほうが根が深いし、後始末も厄介だと嘉助はいう。

「でも、そんな人ばかりじゃありませんよ。世の中には、親子兄弟、仲むつまじく幸せに暮している人も沢山いるんですから……」

伊太郎の心中に気がついて、るいが話題を変えたが、彼はそっと席を立って、藤の間へひきこもってしまった。

「かわいそうに、折角、実のお父上のところへ奉公しようって、張り切っていたのに、あんまり、つまらないことばかり、おっしゃるから……」

考えてみれば、喜八と伊太郎の立場は同じようなものである。

どちらも妾腹の子で、父親の許《もと》で息子としてではなく、奉公人として暮したいとのぞんでいた。

「喜八という人と、伊太郎さんとは性格も育ちも違いますから……」

おとせがいったが、その口ぶりはどことなく心もとなさそうなところがあった。

そんなときに、八丁堀の神林家から使が来て、通之進が伊太郎を呼んでいるという。

おそらく、吉田家との話し合いがあったものと思い、東吾は伊太郎と一緒に、兄の屋敷へ急いだ。

通之進は居間の縁側に立って、庭を眺めていた。

今日はまた、ひどく暖かくなって、遅咲きの梅がいっせいに開花している。

「兄上、伊太郎が参りました」

次の間に両手を突いている伊太郎をひき合せると、通之進は暫く黙ったまま、その姿をみていたが、

「昨夜は御苦労であった。怪我はなかったか」

しみじみとしたいたわりの声である。

「東吾には叱らねばならぬ。如何《いか》に方月館の弟子であろうとも、このような若者に白刃をくぐらせて、万一、怪我でもあった時は、伊太郎の父母になんと申しわけをするつもりだ」

伊太郎が慌てて顔を上げた。

「それは、手前がお願い申したのです。若先生の罪ではありません」

「人が斬られるのを、どう思った……」

通之進が訊き、伊太郎は少し考えて返事をした。

「斬るのも、斬られるのも、いやなものではないかと思いました」

「それはいい答えだ」

ふっと苦笑して、香苗の運んで来た茶碗へ手をのばす。

「それでも、侍奉公がしたいか」

重ねていった。

「実の父親の傍で暮したいか」

伊太郎が袴の膝を握りしめるようにした。

その手が畳へ落ちる。

「まことに身勝手ではございますが、吉田家へ参る気持がなくなりました。出来ることなら狸穴へ戻って親に孝養を尽したいと存じています」

「本心か」

伊太郎の表情が急に子供子供して眼に輝きが浮んだ。

「母が恋しくなりました。父も案じてくれているように思います」

「左様か」

通之進の声が重くなった。

「それなればいうて聞かせるが、吉田家では其方の奉公を望んで居らぬ。侍の家はとかく厄介、万一の家督相続などの折の懸念もあろう。世間体もある」

伊太郎が明るい眼のままで、頭を下げた。

懐から布袋に入った千鳥の鐔を出した。

「お手数ではございますが、これを吉田家へお戻し頂けますまいか。私にはもはや不要の品でございますから……」

香苗のすすめる茶を飲み、菓子を食べて、伊太郎はさわやかに暇《いとま》を告げた。

「よしなきことを願い、お世話をおかけ致しました。何卒《なにとぞ》、お許し下さい」

「かわせみ」には、東吾が送って行くことになった。

外はまぶしいほどの春の光である。

「お前、吉田家が怨めしいか」

並んで歩きながら、東吾がいい、伊太郎が大きくかぶりをふった。

「いいえ、私が今日あるのは、やはり、吉田家の父があってのことですから……」

それだけで有難い、といった。

「手前は生まれて来たことを大事に致したいと思っています」

若さが匂うような伊太郎に、東吾は破顔した。

「それでこそ、俺の弟子だ」

道のむこうに、正吉の姿がみえた。

続いて、おとせとるいが、こっちをみつめている。

伊太郎のことが心配で、家にいられないで出て来たという恰好であった。

伊太郎は手を上げ、正吉がかけ出して来る。

日本橋川の水面には、まるで陽炎《かげろう》が立ちそうな早春の午下《ひるさが》りであった。

狐《きつね》の嫁入《よめい》り

一

「かわせみ」の庭に、二、三日、暖かな春の日ざしがふりこぼれて、気がついてみると柳の芽が、ほのかに緑を増している。

大川の水も一日、一日、ぬるむような或る夜のこと、

「狐の嫁入りって、本当にあるんでしょうかねえ」

湯上りの上気した顔で鏡をのぞいているるいを炬燵《こたつ》に寝そべった東吾が飽きもしないで眺めている二人だけの居間である。

「深川の長助親分が、うちの番頭さんに話して行ったそうですよ。ここんとこ、亀戸村あたりに、毎晩、出るんですって」

「そいつは驚き桃の木、山椒《さんしょ》の木だ。まだ、向島の桜も咲かねえってのに、随分と気の

早い幽霊じゃねえか」

「幽霊じゃありませんてば、狐の嫁入りですよ」

「あいにく、俺はみたことがねえ」

「あたしだって、知りませんけど、鬼火みたいに青い火があっちこっちに燃えるんですって、それが狐火で、その中を駕籠《かご》に花嫁さんを乗せた行列が宙をとぶように走って行くって話ですよ」

「よっぽど、花聟《はなむこ》が男前なんだな」

「あら、どうして……」

「花嫁が宙をとんで行くんだろう。さしずめ、勝頼さんに恋いこがれた八重垣姫って寸法だ」

「馬鹿ばっかし、ちっとも、本当にしてくれないんだから……」

笑いながら、るいが東吾の傍へ寄った時、「かわせみ」の外を火の要心が拍子木を鳴らして通りすぎて行った。

春は、とかく、風が強い。

翌朝、東吾が裏庭で木剣の素振りをしていると、朝風呂を焚《た》きつけたところらしい嘉助が近づいて来た。

「若先生、申しわけございません。薪を割って頂いちまったそうで……」

恐縮している嘉助に、東吾は破顔した。

昨日、早めに狸穴《まみあな》から帰ってくると、「かわせみ」の下働きをしている勘太という若い衆が風邪をこじらせて休んでいて、女中達が不馴れな手つきで鉈《なた》を使っているのをみたから、よし力仕事なら、俺にまかしておけ、と物置の横に積んであったのを、あらかた、ひっぱり出して、威勢よく叩き割った。

「るいや嘉助には黙ってろよ」

と女中にいっておいたのだが、今朝、風呂焚きに出た嘉助が、きれいに並んだ薪の山に驚いて、女中を問いただしたものらしい。

「どうも、手前の要領が悪うございまして」

とんだことをおさせしましたと頭を下げる嘉助に、東吾は大きく手をふった。

「冗談じゃねえ。俺だってかわせみの人間だ。男の出来る仕事を俺がして、なにが悪い。つまらねえ気は使わねえでくれよ」

ざっと汗を拭いて肌を入れたついでに訊いた。

「亀戸村に狐火が出るそうじゃないか」

嘉助が眩《まぶ》しそうな眼をした。

「お嬢さんから、おききになりましたか」

「亀戸村あたりは田んぼや畑ばっかりだから、狐や狸も棲《す》んでいるだろうが、嫁入りってのは色っぽいな」

「手前は、人魂《ひとだま》じゃないかと存じます。あのあたりは寺が多く、墓地が並んで居りますから……」

「あったかくなると、待ってたように妖怪変化《ようかいへんげ》の噂が立つな」

「それだけ、寒さに飽き飽きしたってことでござんしょう」

朝風呂へ入って、るいの部屋で朝飯がすんだところへ、

「畝様がおみえでございます」

出立の客へ挨拶に行っていたるいが、源三郎と一緒に戻って来た。

「昨夜あたり、狸穴からお帰りだろうと思いましてね」

「又、なにかあったのか」

「さしたることはありませんが、本所の狐のさわぎは御存じですか」

思わず、東吾は笑い出した。

「源さん、いくら、八丁堀が暇だからといって、狐の嫁入りをとっつかまえようってんじゃねえだろうな」

熱い番茶を運んで来たお吉だけが大真面目で反応した。

「それじゃ、八丁堀の皆様で、狐狩をなさるんですか」

流石《さすが》に、源三郎がぼんのくぼへ手をやった。

「そういうわけではありませんが、少々、嫁入りが頻繁すぎまして、噂が大きくなりましたので、本所あたりの旗本衆から、上様御治世に狐狸《こり》騒動は不届《ふとどき》だとお奉行がねじこまれたようですな」

「なにいってやがる。奉行所が狐の面倒までみきれるかって」

そこは八丁堀育ちで、むらむらと腹が立ってくる。

「源さん、本所へお出ましなら一緒に行くぜ。どこの狐だか知らねえが、とっつかまえて狐汁にしてやろう」

源三郎が、にやりと笑った。

「そういわれるだろうと思って、お誘いに来ました」

大川端をとび出して、永代橋を渡って深川へ入る。

昨夜の風がやんで、穏やかな陽気であった。

深川の長寿庵へ寄ると、長助が釜場からとび出して来た。

「狐の野郎、昨夜はとうとう、出ませんでした」

若い者を動員して、本所は亀戸村から石原町まで、大がかりな張込みを行う一方、長助も、幾組かに分れて、夜廻りをしてみたが、朝まで異変には出会わなかったという。

「いったい、狐の嫁入りってのは、何回ぐらい出たんだ」

まだ客のない二階座敷で、長助に訊いてみると、

「手前が調べた限りでは、都合、四回ってことになります」

最初が、今月のはじめ、場所は本所の亀戸村も中川に近いところに五百羅漢寺というのがあるのだが、そこの門前を無数の狐火にとり巻かれた女駕籠がふわふわと宙に浮きながら行くのを、すぐ隣の榊原《さかきばら》式部の下屋敷に住む奉公人が夜遊びに出かけた帰りに目

撃して肝を潰《つぶ》した。

　二度目が、それから四日ほど後で、同じく本所だが横川に架った法恩寺橋のところで、夜更けて女のところへ出かけて行く法恩寺の納所坊主《なっしょぼうず》が川のむこう岸を業平橋の方角へ向って行列が歩いて行くのをみた。

　行列は女駕籠を中央にして裃《かみしも》姿の男や待女郎《まちじょろう》といった女が従って居り、誰がみても嫁入りの一行という感じであった。

「ただ、時刻にしては随分と遅いので、おかしいなと眺めているとお供の連中が持っていた無紋の提灯《ちょうちん》が一せいに空中にとび上って狐火になり、行列もろとも、かき消すように見えなくなったと申します」

　三度目が、南本所の石原町、俗に狸堀と呼ばれる掘割の近くを、真夜中に火の番が通りかかると、花嫁行列と思われる一行が川のほうをむいて立ち止っている。なんだろうと思って声をかけると、そろってふりむいた顔が全部、狐だった。

　火の番は目を廻してしまって、いつまでも帰って来ないのをあやしんで探しに行った仲間に助けられて息を吹き返すまで、なにも知らないという。

「朝になって、もう一度、その場所を調べてみますと、けだものの毛のようなものがそこら中に落ちていたそうでございます」

　四度目が三日前の夜、竪川《たてかわ》と横川が交差する南本所の北辻橋のむこう側を狐火が燃え、花嫁行列が行くのを入江町の岡場所へ遊びに来た連中がみて、登楼した見世で喋りまくったので大さわぎになった。

「成程」

長助の話を源三郎が書き並べたのをのぞき込んで、東吾が呟《つぶや》いた。

「狐の奴、律義に本所ばっかり歩きやがる」

「なにか、本所に怨みでもあるんでしょうか」

と長助。

「本所は新開地だ。うっかり、狐の巣を埋め立てちまってるかも知れねえぜ」

冗談をいいながら、立ち上った。

「こうやって、考えてても仕様がねえ。とにかく、四カ所、廻ってみるか」

源三郎もその心算《つもり》のようであった。

案内役には長助が若い者を連れて先に立つ。

「どこから廻ります」

「どこからというより、お狐さんのお出ましになった順と行こうぜ」

外はうららかであった。

川の面には陽炎が立っている。

深川、本所は川の町であった。

小名木川を渡って本所に入り、そのまま、小名木川沿いに行くと、やがて小名木川が中川にぶつかる。

附近の景色は、すっかり田舎になっていた。

町屋は姿を消し、田地、畑地がのどかに続いている。

麦がかなり育っていた。雲雀《ひばり》の声が聞える。

「閑静なものですな」

源三郎が顎《あご》をなでながら呟いた時、長助が前方の大屋根を指した。

「あれが、五百羅漢寺です」

二

五百羅漢寺の門前に立って、東吾と源三郎は思わず顔を見合せた。

周囲は田畑ばかりであった。南隣に榊原式部大輔の下屋敷があるが、これも鬱蒼《うっそう》たる樹木に囲まれている。

「こいつは殺風景なところだな」

「狐狸が棲んでもおかしくはありませんな」

日中だというのに、人通りはまるでない。

寺へ入って納所坊主に話をきいてみると、講のある日は、それでもけっこう参詣人があるらしい。

「もっとも、夜は人っ子一人、通りますまい」

ここの寺男が親しくしているといって、榊原家の、例の奉公人を呼んで来てくれた。

まだ二十三、四の無骨な男は、顔中ににきびが吹き出ている。

訊いてみると、話は長助の調べ通りで、時刻は子《ね》の刻（午前零時頃）に近く、

「ちょっとなまあったかい晩でございました。大島町から小名木川沿いに戻って来まして、左にまがりますと、お寺さんの門前の道でございます」

まがったとたんに前方に行列が行くのをみかけた。思わず声を上げたのは、駕籠のまわりにいくつもの狐火がみえたからで、

「立ちすくんでいますと、急に乗り物が宙に浮び上りまして……」

あとは自分でもどうしたのかおぼえていない。一目散に屋敷の中へ逃げ込んで、頭から布団をかぶって慄《ふる》えていたという。

「すまねえが、お前が行列をみた場所を教えてくれ」

東吾がいい、五百羅漢寺の門前に出た。すぐ前は田地で小名木川から竪川へ向って一本道が通っている。

下男が立ったのは小名木川の川っぷちであった。行列がみえたのは寺の竪川寄りの塀のあたりという。距離にしておおよそ四、五十間も先であった。

「今月のはじめのことだというのだから、月はないな」

東吾が呟き、源三郎がうなずいた。

「おそらく如法《にょほう》闇夜でしょう」

「霧は、どうだ」

下男は少し考えて合点した。

「そう申せば、いくらか靄《もや》が出ていたように思いますが……」

源三郎が片手を一杯に上へ伸ばした。

「駕籠が宙に浮いたというのは、このくらいか」

「はい、宙をふわふわと飛んで、それに狐火が……」

「お供の者の顔はみたか」

「みえません。なにしろ遠くて……」

寺の門前で榊原家の下男と別れた。

「武家奉公をしているにしては、意気地のない奴でございますね」

竪川の方角へ歩きながら、長助がおかしそうにいう。

「あいつは作男だよ」

源三郎が教えた。

「大名の下屋敷は広いから、それなりに田や畑がある。あいつはそっちの仕事をするためにやとわれているんだ」

竪川に沿って戻ってくると、間もなく清水橋を渡って南に御材木蔵がみえてくる。その界隈《かいわい》は火除地《ひよけち》で、暫《しばら》くは空地ばかりであった。

「二つ目の横川、法恩寺橋のところは、つい三日前の夜の北辻橋のところとすぐ近くでございます」

道順からいうと、むしろ、北辻橋のほうが近いというので、

「いいじゃないか。源さん、そっちから廻ってみよう」

川っぷちの火除地はやがて茅場町になり柳原三丁目のところで竪川と横川がぶつかっている。架っている橋が三つで、竪川にあるのが新辻橋、横川にかかっているのが、南側が南辻橋、北が北辻橋であった。

東吾達はまず、新辻橋を渡った。そこが柳原一丁目の角で、横川を北辻橋で渡って北へ行ったところが入江町である。このあたりではちょっとした岡場所で昼も営業しているが、流石に明るい中は夜のような賑やかさではない。

「狐の嫁入りをみた客は上州屋へ登楼して居りますんで……」

長助の案内で、東吾と源三郎は少々、うっとうしい顔で上州屋の入口に立った。

入江町では、まあまあの見世で、女主人だという。やりてに金をやって訊いてみると、いい具合にその夜、狐の嫁入りをみたという客の一人が馴染の女のところに来ている。

浅草の大工だという、その若い男は、やりてに呼ばれて階下へ出て来た。流石にきまり悪そうに小さくなっている。それでも、狐の嫁入りをみたという話になると勢いがよくなって、

「ちょうど北辻橋の上あたりで、誰かが、嫁入りの行列だっていいまして、ふりむいてみると、川っぷちを行列が歩いているんです。まん中に花嫁らしい姿がみえまして、驚いたのはそのまわりを狐火がとんでいまして……」

入江町からみると、横川をはさんだ向う岸で、そう遠くもないが、

「あいにく、ひどい靄が出て居りまして、俺達が立ちすくんでいる中に、ふいっとみえなくなっちまったんで……」

正気に戻った三人が、あたふたと上州屋へかけ込んで狐の嫁入りが通ったと声をかけたので、野次馬が何人か川っぷちへ出てみたが、その時は、もう、どこにも狐火も行列もなかった。

「お前のみた行列には駕籠はなかったのか」

訊いたのは源三郎で、

「駕籠なんぞ、みえません。花嫁はみんなと一緒に歩いていました」

それも靄の中で、ぼうっと上半身が浮いてみえた。

「顔は狐か」

と東吾。

「顔なんぞみえやしません。とにかく、靄が深くって……」

翌朝も面白半分、怖さ半分にみんなで現場へ行ってみたが、狐の毛なんぞは落ちていなかった。

「御苦労だった。野暮な呼び出しをかけて気の毒だった」

そそくさと上州屋を出たのは、店の奥に白粉《おしろい》くさい女たちがひしめき合って、こっちをのぞいているのに辟易《へきえき》したからで、川風に吹かれてから、源三郎が大きな嘆息を洩ら

した。

「上州屋というのは、あんまり上見世じゃなさそうだな」

総体に感じがよくないし、女たちの躾《しつけ》もなっていない。

「おっしゃる通り、あんまり評判はよくありません」

女主人のおとらは岡場所の出で、それはともかく、亭主というのが按摩《あんま》上りの金貸しで、

「人を泣かせた金で検校《けんぎょう》の位を買ったそうで、智念って名前ですが、誰もそうは呼びません。からっ風の検校といえば、泣く子も黙るって手合でございます」

住居はここから遠くもない本所緑町にあるが、

「人間、あんまり罪なことをするもんじゃござんせんな。おとらが産んだ一人息子で鶴松といいますのが、二十五、六にもなろうというのに、一人前じゃございません」

長助が喋っている中に、

「ああ、ここが法恩寺橋でございます」

横川を北へ、北辻橋から数えて二つ目の橋であった。

法恩寺は橋を渡った向う側であった。

「ここが二度目に狐の出たところで……」

入江町から、たいして離れてもいないのにここまで来ると、町は急に寂しくなった。

法恩寺をはじめとして、寺ばかりが六つも並んでいて、その先は押上村、小梅村、柳

島村である。

そういう意味では、一回目に狐の行列が出た亀戸村、五百羅漢寺前と条件は似ていた。

行列をみた納所坊主は、あれ以来、風邪をひいたといい、冴えない顔付であった。

「皆様は拙僧が酒に酔って、まぼろしをみたといわれますが、そんなことは決してございません。寺を出た時から、いやになまあたたかい、どんよりした晩だとは思って居りましたが……」

行列は花嫁を乗せた駕籠を囲むようにして歩いて行き、その提灯のあかりが夜霧に滲《にじ》むようにとけ込んだとたん、青白い狐火が宙をとんで、川のむこう岸を業平橋の方角へ消えて行ったという。

「今度は駕籠か」

ぽつんと東吾は呟いた。

最後は南本所であった。

法恩寺の門前を通り、法恩寺橋を渡って、まっすぐ西へ向うと、突き当りが南本所石原町で、そこから大川へ向って小さな掘割がある。

「俗に狸堀と申しますんで……」

長助がくすぐったそうにいった。

「狸堀に、狐が嫁に来たってわけか」

ここらは町屋もあるが、武家屋敷も多い。夜はひっそりするだろうが、亀戸村や、法恩寺の辺とは違う。

火の番の親父は、まだ腰が抜けたような恰好であった。それでも、狸堀のそばへ来て、行列の立ち止っていたあたりを教える。

「行列は歩いていたのではないのか」

源三郎の問いに、はっきりかぶりをふった。

「いえ、一列に並んで、堀のほうをむいて居りました。様子がおかしいんで、声をかけたんですから……」

ふりむいた顔が狐であった。

「その晩の天気はどうだった。風が強かったか」

と東吾。

「いえ、風は夕方から凪《な》いで居りました。おまけにあたたかくなったせいか、大川から靄が上って参りまして……」

「狐ってのは、どんな顔だ、犬に似ているそうだが……」

「神楽《かぐら》に出てくるお稲荷《いなり》さんのお使と同じ顔でございました。眼が金色で、口が赤く、耳まで裂けていて……」

「駕籠は、みえなかったんだな」

「ございません。大きなものですから近くにあればわからない筈はございません」

本所を歩き廻って八丁堀へ帰った。兄の通之進は帰っていて、

「狐の一件、どうであった」

東吾が源三郎と一緒に本所をほっつき歩いたことが、お見通しのようである。

「二、三、面白いことがわかりました」

四回とも同じような狐の嫁入り行列だが、一回目と二回目だけに駕籠が使われ、三回目からは徒歩である。

「成程。理由は……」

「最初が亀戸村、五百羅漢寺前、二度目が法恩寺橋から業平橋。いずれも附近は田地、畑地、或いは大名家下屋敷、寺の境内、寂しく人目につかないところでございます」

それにひきかえ、三度目、四度目は町中で、殊に最後は入江町の岡場所近くである。

「ひょっとして度胸のいい野次馬が追いかけて行った場合、駕籠のような大きなものがあっては邪魔になりましょう」

通之進が苦笑した。

「狐奴、智恵が廻るのう」

「回を重ねる度に、手の込んだことをして居ります」

石原町では、火の番に狐の顔を見せ、気絶させている。

「駕籠が宙に浮いたり、狐火の件はどう思う」

「それについては、少々、心当りがないこともありませんが、まだ、お話し申し上げるまでには至って居りません」

香苗が気味悪そうに東吾をみた。

「誰かの悪戯《いたずら》でしょうか」

「おそらく……」

「なんのために……」

「わかりませんが……」

通之進が神妙な弟を眺めた。

「狐は寂しいところから、次第に賑やかな場所へ出て来て居る。狐にとっては、まことに危険ではないか」

「はい」

「殊に入江町に心せよ。そのあたりに狐の本意があるのではないかな」

「源さんと相談してみます」

屋敷を出かけるには、まことにいい口実であった。

東吾は早々に八丁堀を出て、大川端へとんで行った。

今夜もまた、狐の嫁入りが出そうな、なまあたたかい晩である。

三

「かわせみ」のるいの部屋で、東吾は暫くの間、お吉を話し相手にしていた。

「申しわけありません。お嬢さんは今、番頭さんとお客様のお部屋へ御挨拶にいらしていて……もう、お戻りになると思うんですけど……」

　客は木曾の材木商で、毎年、この季節に必ず江戸へ出てくるという。

「いつも、うちを御贔屓《ごひいき》にして下さるものですから……」

「若いのか」

　気になるというほどではなかったが、つい、訊ねた。

「いいえ、御主人はもう五十七、八ですよ。お供の手代さんが三十そこそこでしょうか」

「そいつが色男か」

「よして下さい。木曾の人ですよ。それに、若先生とはくらべものになりゃしません」

　お吉にいいようにあやされているところへ、るいが戻って来た。

「いやだ。お出でになってるなら、声をかけてくれればいいのに……」

「若先生ったら、気を揉《も》んでいらしたんですよ。若い手代はいい男かですって……」

　お吉が首をすくめて出て行って、東吾は照れた。

「よせやい。あいつ人の冗談を真に受けやがって……」

「いいお客様なんですよ。お人柄といい、でも、お話好きなもので、つい、お相手が長くなって……」

「木曾の話か」

「いいえ、今日は深川の材木問屋のことで……あんまり、いい話じゃありません」

客の名前は栗駒屋伝右衛門といい、深川の何軒かの材木問屋と取引をしているのだが、

「その中の、木曾万さんってお店が、どうもいけないらしいんですよ」

内情が苦しくなったのは、昨年の秋に当主の万兵衛が卒中で急死してからで、

「跡取り息子は、まだ二十一、それでも、暮に三代目万兵衛を襲名なすったそうですが、次々にお得意先を奪《と》られたり、売り掛け金が入って来なかったり、世の中、人の弱味につけ込んで、悪いことをするもんですねえ」

「そりゃあそうだ」

飯は屋敷ですまして来たので、もう酒も飲まず、炬燵に寝そべって東吾が笑った。

「このせちがらい御時世に、お人よしばっかりが寄り集って、俺はよくかわせみが潰れねえもんだと感心しているんだぜ」

「商売のことは、ちゃんとしてますよ。東吾様じゃあるまいし……」

「栗駒屋伝右衛門は、どうするっていうんだ。木曾万が左前だときいて、今年の取引はやめようってのかい」

「迷っておいでのようですよ。これまでのつきあいがあるから、そう、情のないこともしたくない。といって、木曾万が潰れたら、損をするのがわかってるんですから……」

「本当に潰れるのかい」

「深川の長助親分にきいてみて下さいませんかしら。縄張り内のことだから、少々のことは知っているんじゃありませんか」

東吾は指の先でるいの頰を軽く突いた。

「かみさんの頼みじゃ、断れやしねえ。俺もいい加減、甘えもんだな」

翌朝は、やっぱり、源三郎が迎えに来た。

永代橋を渡って深川へ入りながら、東吾は通之進からの伝言を話した。

「たしかに、神林様の仰せの通りかも知れません。今日はその辺を洗ってみましょう」

長寿庵へ行くと、長助の女房がおろおろと頭を下げた。

「申しわけございません。旦那がおみえになる前に、帰ってくると申して、出かけたんですが……」

材木問屋の木曾万から呼ばれて行ったときいて、東吾が聞き耳をたてた。

「なんでも、お嬢さんが嫁入りをなさるそうで……」

「源さん、ぶらぶら、そっちへ行ってみるか」

先に立って永代寺門前町を抜けると八幡社の境内に芝居の幟《のぼり》が何本か立っているのがみえた。ここは江戸の市中からやや、はずれているので、参詣の人集めに特に許されて、境内に芝居小屋や茶屋が出来ている。

道はやがて深川の木場へ突き当った。

木曾万の店のある久永町は、木場から小名木川へ向って行ったところで、町全体が掘割に囲まれている。

町とはいっても材木置場が続き、その間にぽつん、ぽつんと材木商の店があった。

店がまえはどこも大きく、三十間、四十間という家ばかりであった。

木曾万もその一つで、表通りは板塀、横はまさき垣の気のきいた大店《おおだな》であった。

「たいしたもんだな」

その辺をぶらぶらしていると、長助が店から出て来た。源三郎の姿をみて、走ってくる。

「申しわけありません。旦那……」

「いいってことよ」

東吾が手をふった。

「俺も、この店がみたかったんだ」

掘割について歩き出した。

人通りは全くなく、青物売りが荷をかついで行くぐらいのものである。

「木曾万の娘が、嫁入りだと……」

東吾が訊ね、長助が気の重い顔でうなずいた。

「急に話がまとまったとかで、明日の夜、内々で嫁入りするんだそうです」

「先代が死んで、まだ喪中だろう」

「そうなんですが、他にも事情がありまして……」

夜になってから、あまり人目に立たないように嫁入りの行列を出したいらしい。

「おまけに、行く先が本所の緑町なものですから、ここんとこの狐の嫁入りさわぎが耳に入ってて、狐と間違えられるといけねえってんで、あっしが先導を頼まれました」

「本所緑町……」

ふと、源三郎が目を光らせた。

「まさか、からっ風の検校のところじゃあるまいな」

長助がいよいよ暗い顔になった。

「そいつがそうなんで……大きな声じゃいえませんが、金で買われて行くようなもんです」

木曾万が金繰りに困っているのを聞いて、昨年の暮に、人を介して親切ごかしに金融を申し出た。

「木曾万も、からっ風検校のやりくちは知らないわけじゃなかったろうが、背に腹は替えられなかったんだろうと思います」

その時に借りた三百両が、結局、二十三になる娘のおよねの結納になった。

「検校は最初っから、およねさんを悴の鶴松の嫁にするつもりで金を出したんです。木曾万じゃ、金は返せねえから、泣く泣く、およねさんを人身御供《ひとみごくう》に出すんでさあ」

二人娘を持つ長助は他人事《ひとごと》でない口ぶりである。

「木曾万の娘は美人なのか」

東吾が訊いた。

「木場小町っていわれるくらいでしてね、先代の万兵衛旦那がお元気な頃には随分とあっちこっちから縁談があったようだが、まだ早いって耳も貸さなかったんです。今になってみれば、どこへ嫁に出したとしても、鶴松の女房になるより、どのくらいましだったかってお内儀さんが泣いてました」

木場のふちを通って三十三間堂まで戻って来た。そこからも、八幡社の境内の芝居の幟がみえる。

「死んだ、先代の万兵衛ってのは、どんな人柄だった」

「そりゃいい旦那でござんしたよ。如何《いか》にも江戸っ子らしいさっぱりした気性で、町内の祭なんかにも、金が足りなくなると木曾万の旦那のところへ行けばなんとかしてくれるってなもんで……気前のいいお人でした」

「芝居なんか、好きだったか」

「そりゃお好きでしたよ。若い時分に素人芝居の先達《せんだつ》で、役者を呼んじゃあ寺子屋だの、忠臣蔵だのって稽古をしていたそうですからね」

もっとも、そうした派手な気性だから、木曾万の内証は外からみるより金がなくて、旦那が急死したとたんに左前になるという憂目をみたのかも知れないと、長助はうがったことをいう。

東吾が道を逸《そ》れて、八幡社の境内へ入って行くので、源三郎も長助も、なんとなく後に続いた。

風が出て来て、幟がはためいていた。

立ち止って芝居看板を見上げていた東吾が、同じように看板をみている近所の若い衆らしいのに声をかけた。

「近頃、義経千本桜だの、八重垣姫だのって狂言は出てねえのか」

若い衆は芝居好きらしい眼をむけた。

「先月は、奥庭が出ましたよ、梅之丞がそりゃあきれいでね」

「へええ、そりゃあ惜しいことをしたな」

すたすたと源三郎のほうへ戻ってくる。

「若先生は芝居なんぞごらんなさるんで……」

長助は驚いていたが、源三郎のほうは、東吾がなにを考えているか、およそ見当のついている表情だ。

「からっ風の検校が、木曾万に、金が返せなけりゃあ、娘を、といい出したのは、いつ頃からだ」

「お内儀さんの話では、今月に入ってのことだとか……もっとも、その前にも検校の妾のおとらってのがやって来て、なんなら入江町の店で、稼がせてやってもいいと、いやがらせのようなことをいったそうです」

岡場所で女郎をするより、鶴松の嫁にしてやるのだから有難く思えというための根廻しであったらしい。

「東吾さんは、狐は木曾万の仕業《しわざ》と考えたわけですな」

長寿庵の二階で一休みしながら、源三郎が口を切った。

「お狐さんのこれまでの所業が、木曾万の娘の嫁入りに一細工するための伏線と考えると平仄《ひょうそく》が合って来ないか」

「おっしゃる通りです。ただ、どういう芝居をうって来ますか」

「まあ、たのしみに見物するか」

旨《うま》そうな匂いをさせて、長助が蕎麦《そば》を運んで来た。その長助に、源三郎がてきぱきと指示をする。

そして、一日が暮れた。

四

先代、木曾屋万兵衛の娘のおよねが、からっ風検校の息子の嫁になるという話を、深川っ子は悲痛な思いで聞いていた。といって、どうすることも出来ない。

憎い相手は、金のないのは首のないのと同じだと豪語する金貸しの検校様であった。

その日、木曾万ではまるで通夜か葬式かという気配であった。

先代の喪中だからというのが表むきの理由だが、祝いものは一切せず、近所も流石に気をかねて、祝いにも行かなかった。

長助は若い衆を二人ばかり連れて、木曾万に来ていた。

あれっと思ったのは、午後になって、「かわせみ」の女主人、るいが品のいい老人と

共にやって来たことで、

「こちらは栗駒屋伝右衛門さん、ご商売のことで木曾万さんへお出でになるとおっしゃるからご案内をして来ました」

長助へにこやかに声をかけて、一緒に奥座敷へ通ったが、一刻ばかりで帰った。あとは、客もない。

ない筈だと長助も思った。その頃から人相のよくない連中が、木曾万の店にずらりと顔を揃え、それとなく奥の様子を窺《うかが》っている。

「入江町の上州屋からよこした用心棒のようです。木曾万がおよねさんを逃がしでもするといけねえってんで、毎日のように様子をみに来ているっていいますから……」

若いのが知らせに来て、長助は苦い顔をした。

「親分、ご苦労様でございます」

夜になって、番頭が自分で酒や肴《さかな》、それに弁当を用意して長助のところへ来た。

「こんなもので申しわけございませんが、どうにも、赤い御飯を頂く気持になれません」

先代からの老番頭は眼を泣き腫《は》らしていた。

嫁入りの行列は戌《いぬ》の刻（午後八時頃）にここを出るという。

「何分にも、世間様をはばかることでございますので……」

「お供はどうするんで……」

普通なら親類縁者が賑々《にぎにぎ》しく裃姿でついて行くのだが、

「御親類ではございませんが、歿《なくな》った旦那様の御縁故の方がおみえ下さる筈でございます」

と番頭がいった。その連中は長助達が小部屋で腹ごしらえをしている中に、いつの間にか奥へ到着していた。紋付に裃をつけ、白足袋である。

戌の刻（午後八時頃）ちょうどに花嫁が奥から手をひかれて玄関へ出て来た。まだ綿帽子はかむって居らず、結い上げた高島田の髪に鼈甲《べっこう》のかんざしが重たげであった。

玄関先で母親が娘に綿帽子をかむせた。それから駕籠に乗る。

長助が先頭に立ち、続いて花嫁と母親の駕籠、悴、それから供が五、六人、更にそのあとから長持をかついだ人々がついて行く。

おぼろ月夜であった。

今夜も気温が上って、掘割から靄が流れていた。

提灯の灯が靄の中に橙《だいだい》色にぼやけている。

人っ子一人通らない深夜の道を、嫁入り行列は掘割について北へむかい、やがて小名木川にかかっている新高橋を渡った。ここからが本所である。そのまま、まっすぐに今度は横川沿いを行くと、間もなく横川が竪川と交差する川の辻に出た。

長助がなんとなくぞっとしたのは、そこが四回目に狐の嫁入りの出た場所だったからである。竪川を越えて、まっすぐに行けば入江町だが、今夜の行列は川っぷちを左に折れた。

それが竪川沿いの道で、からっ風検校の屋敷のある本所緑町はもう目と鼻の先である。検校の屋敷の前には高張提灯がともされ、紋付袴の人々がぞろぞろと出迎えていて、その中にでっぷり肥った検校もいた。先頭の長助の姿をみると、

「これは、親分さん、道中、何事もござらなんだか」

いわゆる慇懃《いんぎん》無礼の見本のような挨拶をした。

たかが深川から本所までの道のりである。第一、行列には検校のほうからよこした剣《けん》呑《のん》な連中が送り狼よろしくついて来ている。

長助が返事もしない中に花嫁の駕籠は門の中へ入った。こっちから長助が眺めていると綿帽子の中を検校がちょっとのぞくようにして、一緒に奥へ入って行く。

婚礼は奥の広間ではじまったらしい。

行列が到着した時は、近所の連中が門前に集っていて、しきりに中をのぞいていたが、ふるまい酒一つ出るでなし、夜更けのことで間もなく、みんな帰った。

長助は玄関脇に腰を下していた。畝源三郎の指示では、ここを動くなということであった。

誰が謡《うた》っているのか、あまり旨くもない高砂の一節が聞えて、若い者の一人が知らせに来た。

今、花嫁は盃事を終えて初夜を迎える別棟のほうへ移ったという。

「ひでえ花聟ですぜ。まるで足袋屋の絵看板にそっくりだ」

庭からのぞいていたそいつは唾《つば》でも吐きそうな口調でいいつける。

玄関へ木曾万の内儀と悴が出て来た。これから深川へ帰るらしい。内儀は駕籠に乗り、花嫁の乗って来たほうは空駕籠のまま、かついで門を出て行く。深川からついて来たお供がそれに従った。

長助がみていると、その一行は門前を竪川の二の橋の方角へむいて行った。

「縁起をかつぐんで、来たのとは違う道を帰るんだろうて……」

誰に訊いたのか、若い者がしたり顔に告げた。

行列は二の橋の袂《たもと》で左折した。まっすぐ行けば小名木川の高橋を渡って深川である。

この道の両側は武家屋敷であった。

暗い夜の中を霧が流れている。

再び、玄関の脇へ腰を下して一服しかけた時、表で誰かの叫ぶ声が聞えた。

長助の傍にいた若い衆がとび出して行ったが、すぐに戻って来て、

「親分、みて下さい」

蒼白な顔である。門の外へ出てみて、長助も、あっと声を上げた。今、長助が出て来た検校の屋敷の屋根やら植込の木のあたりに、無数の狐火が動いている。青白い炎のような狐火は或いは宙を走り、或いは上下して、まるでこの屋敷をとり巻いているようだ。

誰かが知らせて、検校の家の奉公人もとび出して来た。みんな声もなく、不気味な狐

火に肝を奪われている。

異変は続いて起ったらしい。

「花嫁が居らん。花嫁が……」

検校がどなる声がして長助がそっちへ行こうとすると、

「長助……」

いつの間にか畝源三郎が立っている。

「旦那……」

「奥でなにかあったようだな」

かけ上って行くと、母屋と別棟をつなぐ廊下のところで、右往左往している検校に出会った。

「町廻りの途中、当家の上に狐火が燃えているのを目撃して参った。何事だ」

定廻《じょうまわ》りの旦那の姿をみて、検校は喚《わめ》いた。

「花嫁が逃げました……」

「なに……」

かまわず、初夜の部屋へふみ込んでみると、屏風《びょうぶ》をめぐらした夜具の上で、花聟が泡をふいてのびている。

「目を廻しているだけでさあ」

抱きおこした長助がいい、家人が医者を呼びに走り出す。

「駕籠でございます。さっきの駕籠だ」

検校が思いついたように叫び出した。

「木曾万の家の者が、花嫁の空駕籠をかついで戻りました。およねはあれに乗って逃げたに違いございません」

ばらばらと検校の家の者が外へとび出して行く。駕籠を追いかけるものとみえた。

「よし、俺も行こう」

源三郎が庭から塀についていたくぐり戸を抜けて外へ出た。そこは二の橋の袂で、

「行列はこっちでさあ」

長助が指し、検校の家の者と一団になって小名木川の方角へ走る。

途中に五間堀がある。堀にかかっているのが弥勒《みろく》橋で、そこを越えて行くと前方に人影がみえた。女駕籠二つをかついで行くのだから、そう足は早くない。

追いついたのは小名木川の手前であった。まだ、本所の中である。

「待て、その駕籠、改める」

源三郎が声をかけ、長助が花嫁のほうの駕籠をあけた。提灯をさしつけてみたが、誰も乗ってはいない。

その間に木曾万の内儀は自分から駕籠の外へ出た。

「何事でございましょう」

それには答えず、

「一人一人の顔を改めろ」

検校のところの者達も一緒になって、あっけにとられている木曾万の者たちの顔を一人残らず照らしてみた。

なんということはなかった。若主人の万兵衛に番頭、手代、女中、いずれも木曾万の奉公人ばかりである。

およねの姿はどこにもなかった。

「疑いは晴れた。帰ってよいぞ」

三度、源三郎が声をかけて、木曾万の人々は早々に深川へ帰って行った。

緑町へひき返してみると、狐火はもはや消えていて、医者の手当で息を吹き返した鶴松は、焦点の定まらない目で人々を見廻しては、

「狐が……狐が……」

と虚《うつ》ろな声で呟くばかりであった。

五

「なにしろ、花聟どのが初夜の新床で花嫁の顔をしみじみ眺めてみると、口が耳まで裂けていて、いきなりコンと鳴いてとび上ったたってんだ」

陽気な声で話しているのは東吾。「かわせみ」の、るいの部屋で、集っている聞き役は嘉助に、お吉、長助。

春の午下《ひるさが》り、宿屋稼業にとっては一番、のどかな一刻である。

「かわいそうに鶴松はその晩からいよいよおかしくなって、床についたきりだとよ」

「親の因果が子にめぐり、ですよ。身分不相応に、金の力できれいなお嫁さんなんかもらおうとするから……」

お吉はいい気味そうだったが、嘉助のほうは不安顔で、

「噂によりますと、検校の智念って人は、およねさんをかくしたのは木曾万の仕業だと、お奉行所へ訴えて出たそうじゃございませんか」

それには長助が答えた。

「ですが、いくら家さがしをしたところで、木曾万におよねさんは戻っちゃいません。親類縁者も調べてみたが、こっちは嫁入りの件すら知らない有様でして、お上のほうじゃ検校の訴えをおとり下げになすったそうで」

そのあげく、改めて検校は奉行所に呼び出されて、きびしく取調べを受けた。

その結果、いやしくも検校たる身が金を貸し、不当な金利を取り立てているのは不届至極、それに加えて、妾を貯え、岡場所に見世を持たせ、貧家の婦女に客をとらせるなど言語道断、更には狐狸妖怪変化などといい立て、世間をさわがせたる罪をもって家財没収の上、重追放申しつけるというお沙汰が下りた。

御吟味役は神林通之進で、まことに鮮やかな裁決は本所深川の町民たちの喝采を浴びた。

「流石、神林の旦那様だ。それでなくちゃいけません。悪が栄えたら、この世はおしまいだ」

嘉助が嬉しそうにいい、東吾が鼻をうごめかしながら、つけ加えた。

「まだあるんだぜ。木曾万は一人娘を嫁に出し、婚家の不祥事によって行方不明となりたること、まことに不愍《ふびん》。よって、上州屋おとらは検校にかわって、五百両を木曾万へ見舞金として遣わせってんだから、お奉行所も行き届いたもんだろうが……」

「それじゃ木曾万さん、なんとかお店を閉めずにやって行けますね」

るいが、はずんだ声でいい、二階のほうに目をむけた。

「栗駒屋さんも、安心して江戸をお発ちになれますよ」

それから二日目の朝、「かわせみ」から木曾へ帰る三人の客を送り出した。

栗駒屋伝右衛門とその手代、そして江戸で養女にもらったという一人の娘が、「かわせみ」のみんなに丁寧な挨拶をして、笠で顔をかくすようにして旅立って行った。

「品川には、おっ母さんと弟さんが人目をさけて見送りに行ってなさるそうですよ」

嘉助がそっと耳うちし、娘は涙のたまった目で、何度も頭を下げた。

「暫くは悴と兄妹のようにして一つ屋根の下で暮してもらいましょう。その上で、もしも二人に異存がなければ、悴の嫁に迎えとう存じます。いけなければ、いい縁談をみつけてやりましょう。どっちにしてもお稲荷さんからおあずかりした娘でございますから」

伝右衛門は満足そうであった。

春の陽が明るい大川端を、三人は一つになって遠ざかって行った。

「ねえ、およねさん、どこで役者さんとすりかわったんですか」

居間へ戻って、るいは改めて東吾に訊いた。

ここ一両日、およねの旅立ちの仕度やらなにやらで、ゆっくり、東吾と話す暇がなかったものである。

「なんだ。わかってたんじゃねえのか」

「大体は見当がつきますけどね」

「じゃあ、いってみろ」

「芝居小屋の人たちは紋付袴で、花嫁さんのお供をして緑町へ行ったわけでしょう。花嫁のおよねさんが上へ入って婚礼が始まる、その間に若女形の梅之丞さんが長持の中にかくしてあった花嫁衣裳をつけて、庭のどこかにかくれている。およねさんが寝間へ入ってお召しかえをして、手伝った人もそこで出て行く。ああ、そうか、かわったのはその時ですね。梅之丞さんが夜具の上にすわって花聟さんを待つ。その間におよねさんは庭から裏木戸へ出る。勿論、誰か芝居の人がついてますよね。そこへ申し合せたように、木曾万の人たちが空駕籠をかついでやってくる。およねさんは駕籠に乗って……あら、でも、畝様と長助親分が追いかけて行って駕籠を改めた時、およねさんはもう居なかったんでしょうが……」

東吾が笑い出した。

「鬼同心の娘ともあろう者が、どじもいいところだな。俺がおよねをここへ連れて来た時、舟だったろうが……」

「ええ、だから、どこで舟に……」

「行列は小名木川の手前だったんだ。そこへ来るまでに渡る橋は……」

「弥勒橋、ああ、五間堀ですね」

五間堀は竪川と小名木川を結んで流れている六間堀につながっている。

六間堀から小名木川へ出て、舟は大川を渡って、「かわせみ」へ来た。

「俺は、最初から船頭と一緒に弥勒橋の下で行列を待っていたんだ」

「畝様も芝居がお上手。もう乗っていないとわかってる駕籠を知らん顔で改めるなんて」

「ああしなけりゃ、木曾万がおよねを連れて帰ったんじゃねえという証拠にならねえ」

うなずいて、るいはちょっと目をうるませた。

「それにしても芝居小屋の人たちが一つになって、およねさんを助けるために死にもの狂いになったなんて……」

役者はもとより、大道具、小道具、衣裳方、床山《とこやま》、下座《げざ》の囃子《はやし》方《かた》までが力を合せ、一つになっての大芝居であった。

「狂言役者が書いた筋書ながら、よく出来ていたもんだ。人里離れた場所から順々に小手調べをやって来て、実に見事な幕切れだったよ」

「畝様も、どなたかさんもその片棒をかついだってわけですものね」

お吉が遅くなった朝飯を運んで来た。

「さっき、長助親分がちょいと寄って話して行ったんですけどね。本所や深川じゃ、こういっているんですって。からっ風の検校さんのお屋敷は以前、お稲荷さんの祠《ほこら》があったんです。それをお祭もしないで、とりこわしたから、お稲荷さんの眷族《けんぞく》が仕返しをしたそうですよ」

「そいつはいいや」

箸《はし》をとり上げて、東吾がいった。

「今日あたり、お稲荷さんにお礼まいりに行ってくるか」

るいが首をかしげた。

「どこのお稲荷さんですか」

「決ってるじゃねえか、深川八幡の境内だよ」

「あんなところに、お稲荷さんが……」

いいかけて微笑した。

「嬉しい。お芝居をみに連れて行って下さるってことですね」

お吉は聞えないふりをして火鉢に炭を足している。

庭には、この朝、はじめて桃の花が一輪咲きはじめていたのだが、まだ、誰もそのことに気がつかなかった。
大川を春の風が吹いている。

子《こ》はかすがい

一

雛祭《ひなまつり》の夜に、神林家には客があった。

本所に住む麻生源右衛門と娘の七重で、麻生家は、神林通之進の妻、香苗の実家に当る。

妻をなくして、末娘と二人暮しの老父をたまさかにはゆっくりもてなそうという通之進のはからいで、華やかに雛飾りの出来た居間に祝膳が用意され、普段、ひっそりしている邸の内が、宵から賑やかな笑い声に包まれていた。

通之進は酒をあまりたしなまないので、源右衛門の相手はもっぱら東吾で、今日ばかりはおおっぴらに飲んでいた。

が、もとより酔って正体を失う東吾ではなく、兄と談笑している源右衛門の盃に酒を注ぎながら、さりげなく、兄嫁の様子を窺《うかが》っていた。

というのは、ここ数日、香苗が健康を害しているのを知っていたからである。どこが悪いというのではなさそうだが、食欲がなく、無理に食べると気分が悪そうで、そのせいか立居振舞がけだるそうにみえる。

今日は、いつもより化粧も濃くしているし、元気そうにしているが、膳のものにはあまり箸《はし》がついていないし、どちらかというと蜜柑《みかん》ばかり食べている。

もっとも、その蜜柑は源右衛門が持って来たもので、出入りの商人が紀州から届いたのを自慢たらたらおさめに来たというだけあって、大粒のみるからに旨《うま》そうな色合いをしていた。

食欲のない時は、さっぱりしたものが好まれるから、つつましやかな香苗が、つい、手を出すのも無理はないが、みている中に三つ、四つと皮をむいているのは、少々、異常な気がした。

そして、そのことに気づいていたのは、東吾だけではなかった。

夜が更けて、本所へ帰る源右衛門父娘を、東吾は駕籠脇《かごわき》について送って行くことにした。

このところ、江戸は夜盗が出没して物騒である。老人はかなり酔っているし、若い女連れでもある。なにか間違いがあってはとりかえしがつかない。

八丁堀から永代橋へ出て来たところで、七重が駕籠を止めて、下りた。

気分でも悪いのかと思ったが、そうではなくて、

「東吾様がお歩《ひろ》い遊ばして、私が乗り物では心苦しゅうございます」

と笑っている。前の駕籠では、源右衛門が鼾《いびき》をかいていた。

「風邪をひいても知らんぞ」

駕籠のあとを並んで歩きながら、東吾は苦笑したが、そんな心配は無用の、あたたかい夜であった。

「姉上のことでございますけれど、東吾様、なにかお気づきでございましょうか」

橋を渡ってから、七重が口ごもりながら話しかけて来た。

「お体の御様子が、いつもと違うようにみえましたの」

駕籠を下りた理由の一つは、それを訊きたかったのかと東吾は合点した。で、このところの食欲のなさなどを話し、無理にも医者に診《み》せたほうがいいかどうかを相談する恰好になった。

「姉上は、どうおっしゃっていますの」

「たいしたことではない。もう少し、様子をみてからというばかりでね……」

義弟の立場では、それ以上、強制するのはどうかとためらわれた。

「兄上に申してみようと考えたのだが、御用繁多で、どうも、いい折がなかった」

七重が下をむいた。

「ひょっとして、おめでたではございませんかしら」

声が小さかったので東吾が訊き直し、七重はまっ赤になった。

「あの、わたくし、以前、きいたことがございます。みごもると、酸いものが好きになるとか……」

蜜柑のことか、と東吾は漸《ようや》く合点が行った。

「しかし、兄上には久しく子が出来なかったが……」

香苗が嫁いで来て、もう十年の余が過ぎている。

「でも、そういうこともあるそうでございます」

七重の声がいよいよ、蚊の鳴くようになった。

「そうか、それだと、まことにめでたいな」

兄夫婦に待望の子供が誕生すると思っただけで、東吾の心は軽くなった。それ以上に、肉親としての喜びが溢れてくる。

「どっちに似たって美男美女だ。かわいい子が生まれるぞ」

くすっと七重が笑った。

「七重も、お守《も》りに参りますわ」

「たのしみだな」

翌日、東吾は大川端の「かわせみ」へ出かけて、早速、るいにその話をした。

「神林の旦那様におめでたでございますって」

るいより先に声をあげたのは、白酒を運んで来たお吉で、

「馬鹿、おめでたは義姉上《あねうえ》だ。兄上が赤ん坊を産んでたまるか」

つい、東吾も上機嫌な声を出す。

るいの部屋には、まだ雛飾りがしてあって、

「今日は東吾様がお出でになるでしょうから、一日遅れのお祝いをいたしましょうって、お白酒も手をつけずにおきましたんですよ」

心得顔のお吉が大きな盃になみなみと白酒を注いで行き、東吾は二日続いての甘ったるい酒に辟易《へきえき》した。

「でも、本当でしょうか。ずっとお出来にならなかったのに……」

るいは半信半疑で、

「なるべく早く、お医者様にお診せになったら……」

と案じている。

「それは、七重の奴が折をみて、義姉上に勧めるそうだ。あいつの話だと、長いこと出来なかった夫婦が突然、子宝に恵まれるって例《ため》しは世間によくあるそうだぞ」

東吾は得意満面で、

「どうも、蜜柑を四つも食べる義姉上がおかしいと思っていたんだが、子供が出来ると酸っぱいものを食うっていうのは当り前なんだってな」

兄の屋敷を出る時、懐中に突っ込んで来た蜜柑を五つばかり、るいの前へ並べて笑った。

「おい、食わないか。これだけ食えたら、てっきり、るいもおめでただぞ」

「馬鹿ばっかり……」

笑うつもりが、るいは不意に涙が出た。自分よりも年上の香苗ですら、みごもったというのに、どうして自分には授からないのかと羨しさと悲しさが一緒になって、泣くまいと思うと一層、泣き声が出てしまう。

「なんだよ。冗談じゃないか、馬鹿……」

若い亭主はうろたえて、つい抱きよせて涙を吸ってやったりしている中に、「かわせみ」の居間はなんとも、あやしげな雰囲気になってしまった。

その辺のところは、女中頭のお吉も心得ていて、決して女主人の部屋へは近づかないが、こっちはこっちで、いろいろ考える中に不安の種子が芽をふいた。で、帳場の嘉助のところへ行って、これこれしかじかと神林家のおめでたの報告をする。

「へえ、今頃になってねえ」

嘉助も仰天したが、

「神林家にお跡つぎがお出来なさったら、若先生はどうなるのかね」

すぐ、そっちに気が廻った。

「大手をふって、うちのお嬢さんと御夫婦になるってわけには行きませんよね」

「そいつは無理だろう。第一、本所の麻生様がほっとかねえな」

今までは、神林家の後継者ということで、諦めていた麻生源右衛門であった。もしも、通之進夫婦に子供が出来たとなれば、なにがなんでも、東吾を七重の聟《むこ》にして、麻生家を継がせるといい出すに決っている。

「麻生様は御大身のお旗本だし、御裕福なお家柄だっていうでしょう。七重様と東吾様は幼なじみだそうだし……」

もともと、神林兄弟の亡父と、麻生源右衛門は無二の親友であった。家族ぐるみのつき合いは親類以上で、源右衛門の腹の中には、神林兄弟を子供の頃から我が息子として扱って来たような両家の関係は、お吉も嘉助も、元八丁堀の住人だから、よく承知している。

「七重様が、いまだに御養子をお迎えなさらないのは、やっぱり東吾様がお好きだからって噂もありますしね」

「よせよ、うちのお嬢さんに聞えたら、とんだことだ」

嘉助がお吉の口を封じたが、どちらも一つ、気が重い。

神林東吾という男が、今更、るいを捨てるような人間だとは思っていないが、人の心だけではどうにもならない武家社会の仕組みを知っているだけに、思案が悪いほうへころがってしまうのだ。

だが、東吾は率直に、兄嫁の妊娠を喜んでいるし、るいにしたところで、いつまでも羨しいとすねているわけにも行かない。

東吾が、るいの部屋に泊ったその夜あけ、「かわせみ」の大戸を叩く音がして、すぐに目ざめた嘉助が要慎窓から覗《のぞ》いてみると、子供が一人立っている。ぼつぼつ、しらみかかった薄明りでみると、狸穴《まみあな》の方月館で働いているおとせの息子の正吉のようなので、嘉助は慌てて、くぐり戸を開けた。

狸穴からどうやって歩いて来たのか、正吉は泥まみれ、顔は涙と埃《ほこり》でまっくろになっている。

嘉助の知らせで、東吾がとびおきてくると、それまで歯をくい縛るようにしていたのが、わあっと子供らしい泣き声をあげて、東吾にしがみついた。

「泣くな。なにがあった。しっかり話せ」

東吾が正吉を抱きしめたまま叱りつけると、涙をこすって、泣きじゃくりながら訴えた。

「おっ母さんを助けてくれ」

「おとせが、どうしたのだ」

「役人が縛って行った……」

「仙五郎か」

「そうじゃない」

しっかりしているようでも六つの子であった。

「若先生、とにかく、風呂に入れて休ませてやらないことには……」

狸穴から大川端まで、よくぞ子供の足で歩いて来たものだと嘉助は舌を巻いている。

った。

「正吉をたのむ。俺は狸穴へ行ってくる」

嘉助に草鞋《わらじ》を出させ、あっという間に身仕度をして、東吾は黎明の中へとび出して行った。

二

飯倉の岡っ引、仙五郎が大川端の「かわせみ」へやって来たのは辰の刻（午前八時頃）で、

「若先生とは、途中でお目にかかりました。事件のあらましはお話し申しましたが、その儘《まま》、狸穴へお出でなさいまして、あっしは、若先生のことづけを持って参りましたような按配で……」

おとせが青山の代官所へしょっぴかれたのは本当だが、

「勿論、おとせさんがなにをしたというのではございません。たまたま、人殺しの現場に行き合せたのを、なんにも知らねえ代官所のお手先が縛って行ったので、早速、方月館の松浦先生とあっしが出かけて行って、おとせさんを貰って来ました」

正吉は母親が縛られて行くのをみて、かっとなって方月館へ寄ることも忘れ、そのまま大川端へ東吾の救いを求めてやって来たらしい。

「なにしろ、むごたらしく人が殺されているのをみたんでございますから、小さい子が仰天して我を忘れるのも無理のないことでして、それでなくとも、正吉坊主にとって、

若先生は実の親以上のお方ですから、なにはさておいても、とんで来ちまったんでございましょう」

狸穴では、おとせが方月館へ戻ってから、正吉のいないのに気づいたが、

「おとせさんが、きっと、若先生のところへ行ったに違いないといいまして……」

仙五郎が事件を知らせがてら、八丁堀へ向ったという。

「若先生がおっしゃいますには、いずれ、おとせさんをつれて、正吉坊主を迎えにこっちへお出でになりますので、それまで坊主をあずかって下さるようにとのことで……」

律義な仙五郎は、るいのすすめた朝飯を押し戴いて食べると、そのまま、狸穴へとって返した。

その頃、東吾は狸穴の方月館に着いていた。

「心配するな。正吉は元気だ。一人でかわせみへやって来やがったんだぞ」

東吾がまっ先に声をかけると、我が子を案じて一晩中まんじりともしなかったらしいおとせが涙をこらえて、手をついた。

「とんだことで、おさわがせを致しました」

方斎も起きていた。

「世の中には馬鹿な廻り合せがあるものだが……」

昨日の午後、方斎はおとせと正吉を伴って出入りの植木屋の甚七のところへ出かけた。

気に入った植木があって、それを早速、方月館へ届けることになり、植木職人の治兵

衛というのが、方斎の供をすることになった。

その治兵衛には、一ヵ月ばかり前に子供が生まれていて、女房はまだ産褥《さんじょく》にあった。

これから方月館へ植木を届け、植込んで帰るとなると、どうしても夜になる。

「それじゃ、おかみさんが心配なさるといけませんから、あたしが帰りに治兵衛さんのところへ寄って、そのことをことづけてあげましょう」

おとせが機転をきかせていったのは、治兵衛が方月館へ出入りしている関係で、女房のお産の時は手伝いに行って赤ん坊の面倒をみてやったほどの仲でもあり、さぞ、大きくなったであろう赤ん坊の様子をちょっとみて行きたい気持もあったからである。

で、方斎は治兵衛と共に狸穴へ帰り、おとせは同じ青山にいる表具師のところへ、方斎が修理を依頼しておいた掛軸を受け取りに出かけて行った。

「いや、もともとは、わしも一緒に表具師のところへ参る心算《つもり》であったが、思わぬ仁《じん》に出会うて、ちと話し込んでしまってな」

表具師の許へ寄っていては、明るい中に治兵衛に庭木を植えさせるのに間に合わなくなるというので、おとせが正吉の手をひいて行った。

治兵衛の家は大安寺に近い百姓地にあった。

附近は田畑で、むこうに青山大膳亮の下屋敷が見える。

表具師のところで掛軸をもらい、まだ水の入っていない田のふちの道を歩いて、治兵衛の家へ行った。

表具師へ寄らなければ、植木屋の甚七の家から一本道で、ゆっくりした坂を下った突き当りの雑木林のかげである。

正吉にとっても、母親と何度も来た家だから、気軽く先に立って土間へ入った。続いたおとせが、思わず、はっとしたのは、家の中に明らかに血の匂いを嗅いだからである。

正吉を土間に待たせて、おとせは気丈に奥の部屋の戸を開けた。治兵衛の女房は庭へむかった縁側に血まみれになって死んでいた。赤ん坊の姿は、どこにもない。

おとせは、すぐに正吉を大安寺へ走らせた。

運の悪いことに、たまたま、大安寺の門前町でもめごとがあって出むいていた代官所の役人がかけつけて来て、とりあえず、おとせをひったてて行ったものである。

正吉が逆上して、東吾の許へ知らせに走ったのは、その後のことである。

「どうにもこうにも、無茶な連中で、おとせさんの話もろくすっぽ、きかねえで、ただもう、着物が血だらけだったから下手人と思ったたってんですから、話にもなんにもなりゃしません」

方月館の善助はかんかんで、

「第一、治兵衛のかみさんは肩先からもの凄《すご》い力で斬り下げられている。どうみたって武士の仕業《しわざ》だと大《おお》先生もおっしゃっています。女の力でそんなことが出来ますものか。おとせさんに治兵衛のかみさんを殺す理由だってありゃあしません」

おとせが善助を制した。

「私も、いけなかったんでございます。ああいう場合、素人が手を触れてはいけないのは承知して居ながら、あんまりびっくりしたものですから夢中で抱きおこしてしまって……」

正吉には、方月館へお帰りと必死で声をかけたのに、仰天した正吉の耳にはそれも聞えなかった。

「大先生と飯倉の親分が代官所へ来て下さいまして……」

嫌疑はすぐ晴れたが、正吉が方月館へ戻っていないのを知って命の縮む思いをした。

「でも、きっと、若先生のところへ行ったに違いないと思いましたし……」

おとせの嬉しさは、我が子の知らせで、東吾がとるものもとりあえず、狸穴へかけつけてくれたことで、安堵と一緒に嬉し泣きに泣いている。

「とんだことだったが、無事でよかった」

方斎の居間で朝飯をすませ、東吾は善助と治兵衛の家へ行ってみることにした。足ごしらえをしていると、おとせが自分も供をするという。

「昨日の今日だ。休んでいたほうがいいのではないか」

東吾は案じたが、おとせはもういそいそと身仕度をしている。

狸穴から大安寺まで、近道をえらんで東吾はおとせの手をひいて、いたわりながら歩いて行った。別にやましい気があるわけではないが、化粧っ気もないのに、しっとりと女らしさが匂い立つようなおとせに頼り切っていられるのは満更でもなく、こんなとこない。


ろを、るいにみられたらえらいことになると内心、苦笑を禁じ得ない。

治兵衛の家はひっそりしていた。近所の者が葬いの仕度をしているが、治兵衛の姿はない。

「昨日っから、半狂乱でして、大安寺の和尚さんがなだめているんですが……」

立ち番をしていた飯倉の仙五郎のところの若いのが、なんともいえない表情で告げた。

東吾が遺体をみたいといい、若いのが奥の部屋の棺を開けた。右の肩先から見事な袈《け》裟《さ》掛けである。斬り口には、僅かのためらいもなかった。

おとせが蒼ざめながら、治兵衛の女房の倒れていた場所を教える。

「下手人は赤ん坊を奪って庭へ出ようとする。追いすがった母親をふりむきざまに一太刀で斬った……」

東吾の呟《つぶや》きに、善助が首をひねった。

「赤ん坊を盗むのが目的でございましょうか」

生後三十日の嬰《えい》児《じ》であった。

「なんのために、そんなことをしたんでしょう」

治兵衛夫婦は人柄もよく、これといって人に怨みを受けるような立場でもない。

「おとせが来た時、治兵衛の女房の体はつめたかったのか」

東吾に訊かれて、おとせはかすかに身慄《みぶる》いした。

「いいえ、触った時は、まだ温こうございました。それで、夢中になって抱き起して……」

名前を呼んだが、返事はなかった。

「赤ん坊の泣き声は聞えなかったか」

「いいえ……」

雑木林のむこうは畑地であった。見渡せるのは大名屋敷の塀ばかりである。

このあたりの大名屋敷は一万坪、二万坪という広大な敷地を持つものが多い。

下手人が大安寺の方角へ逃げればともかく、裏手の道を行ったとなると、まず、目撃者はあるまいと思われた。

棺に香華《こうげ》をたむけて、方月館へ帰ってくると、仙五郎が待っていた。

「お侍が赤ん坊をさらうってのは、どういうわけでございますかね」

支配違いだから、手は出せないが治兵衛が方月館へ出入りしていたかかわり合いがあるし、なんの抵抗もない女をむごたらしく斬って去った下手人を、仙五郎は腹にすえかねている。

「侍ときめてかからぬほうがいいかも知れん。郷士でも、百姓町人でも町道場なんぞで棒ふり剣術を習っている奴はいる」

以前、刀の研ぎ師が殺人鬼の正体だったこともある。

二日ばかり東吾は方月館に滞在したが、青山代官所でも下手人の手がかりはまるでつかめないようであった。

「正吉が待ちかねているだろう。迎えに行ってやるがよい」

方斎の言葉もあって、東吾はおとせを伴って大川端の「かわせみ」へ戻った。

女の足で狸穴までの日帰りは無理だからと、その夜はおとせも「かわせみ」に泊って、翌日、

「今日は永代さんの御縁日ですよ。折角ですから正吉ちゃんをお連れなさいまし」

るいがいい出して、東吾はすぐその気になった。

おとせとるいはおたがいに遠慮してついて来ないから、東吾は正吉の手をひいて永代橋を渡り、門前町で正吉にあれこれ買ってやった後、八幡社の境内にある茶店へ行って草団子を食べた。

縁日のほうは賑やかだが、ここまで来ると静かで、多少、緊張気味だった正吉も、ほっとした顔で団子をよく食べた。

「若先生、東吾様じゃございませんか」

思いがけないところから声が聞えて、ふりむいてみると、深川の長助で、それも珍しく紋付袴である。

同じ深川の酒屋へ嫁入りした娘に長男が生まれて、たった今、お宮参りに来たところだという。

「それが、誰がみてもあっしにそっくりだっていいますんで……」

ちょっと顔をみてやってくれないかと目尻に皺《しわ》を寄せている長助のあとについて、東

吾は社務所まで行ってみた。

産衣《うぶぎ》にくるまれた赤ん坊は色が黒く、眉のあたりが成程、長助によく似ている。

祝いの言葉をかけてやって、茶店へ戻ってくると、待っている筈の正吉がいない。

近くの芝居小屋の絵看板でもみに行ったのかと境内をくまなく探してみたが、どこにもその小さな姿はなかった。

三

終日、東吾は足を棒にして深川を走り廻った。長助も若い者を動員して探索に加わり、八丁堀からは知らせを受けて畝源三郎がかけつけて来た。

手がかりは夕暮になってもなかった。

茶店の老婆は正吉が出て行くのをみて居らず、門前町の店を軒並み訊いても、それらしい姿をみかけた者がない。それに、門前町のほうへ正吉が出て行くためには、否《いや》でも参道へ出ねばならず、それなら拝殿の前にいた長助や東吾の眼に触れない筈はないのだ。

とすると、あとは境内を茶店の裏手へ出て、木場のほうへ行ったか、本所の側へ向ったかで、

「川を改めてみろ。子供のことだ。ひょっとして……」

源三郎が声を嗄《か》らした。

大川端からは、おとせもるいとやって来て、

「申しわけございません、私の躾《しつけ》が行き届きませんでした」

東吾のいいつけを守らず、正吉が勝手に迷い子になったのだと手を突いて詫《わ》びている。

るいは一度、長助の店へ戻って来た東吾の顔をみて、胸をつかれた。

それは明らかに我が子を見失った若い父親の悲痛な面持であった。るいをみても口もきかず、提灯《ちょうちん》の仕度をして源三郎と共にすぐ、とび出して行く。

夜になって、探索は木場から本所へ伸びた。

小名木川のふちを大川へむけて下りて来た東吾と源三郎が、水戸様の石置場の近くへたどりついたのは、もう夜明けに近い刻限で東吾は憔悴し切っていた。

「正吉はあの年にしてはしっかりした、利口な子なんだ。真夜中の道を狸穴から大川端まで歩いてくる胆力もある。そんな子が、ただ迷い子になるというのが、どうにも合点が行かないんだ」

悪い予感がしてならないのを、流石《さすが》に口には出せず、唇を噛みしめるようにして夜道をたどっていた東吾が、ふと、足を停めた。

「源さん……」

「血の匂いですな」

気もそぞろに、二人が提灯をかかげて、石置場にかけよってみると、一本だけぽつんと立っている柳の根方に黒いものが倒れている。

とびつくように抱きおこした東吾が、軽く吐息を洩らした。

女であった。年は四十がらみ、恐怖にひきつった形相はすさまじく、木綿の着物は水を浴びたように血に染っていた。

近くの自身番から人が出て、夜があけるのを待って検死がはじまった。長助のところの若い者の中に顔見知りがいて、殺されていたのは、本所に住む産婆で、おときという一人暮しの女だとわかった。

聞き込みに廻った長助の報告では、なかなか腕のいい産婆で、多少、調子のいいところもあるが、町内の評判は決して悪くないという。

翌日も正吉の探索は続けられた。そして、その翌日も、

「いけませんや。今のまんまじゃ、若先生がまいっちまいます」

長助が青くなって源三郎に訴えた。

事件から丸三日、東吾は大川端へも八丁堀の兄の屋敷にも戻らず、長助の二階に寝泊りしている。それも僅かな仮眠だけで、飯もろくろく口にしていない。

その四日目の早朝、もう足ごしらえをした東吾に長助が蕎麦《そば》がきをすすめているところへ、源三郎がとび込んで来た。

「残念ながら、正吉がみつかったわけではありません」

まず最初に断っておいて、

「昨夜、浅草橋の仏壇問屋、越前屋の主人、彦右衛門と、その母親のお源が殺されました」

場所は自宅から、それほど遠くもない空地で、時刻は宵の口らしいという。

それだけなら、なにも東吾に知らせに来ることもないのだが、

「調べに当った者の話をきく中に、いささか気になることが出て参ったのです」

越前屋の当主、彦右衛門は今年、三十一歳にして、はじめて子宝に恵まれた。女房をもらって、五年目のことである。

「手前が気になったのは、その赤ん坊のお宮参りに深川八幡に出かけているということです」

しかも、番頭の話では四日前、つまり正吉が深川八幡の境内から行方知れずになったのと、同じ日のことである。

「そういえば、俺が長助の初孫をみに、拝殿のほうへ行く途中で、やっぱり宮参りらしい連中とすれ違ったぞ」

通りすがりのことで、東吾にしてもあまり注意を払わなかったのだが、総勢四人ばかりで裕福そうな町人夫婦に、母親、

「もう一人は、若い侍だったような気がするが……」

とたんに長助が思い出した。

「その御連中なら、あっしもみています」

境内のすみに駕籠が待たせてあって、

「旦那とおっ母さんはそれに乗って行ったんです。おかみさんが赤ん坊を抱いて見送っ

ていたんで、ちょっと変だと思っていました」

もっとも、長助の観察もそこまでで、あとはかわいい初孫に気をとられて、他人のことなど眼中になかった。

「待てよ。旦那と母親が駕籠で帰って、女房と赤ん坊が残ったのなら、もう一人、侍もいた筈だ」

その二人の姿が長助の眼に映らなかったのは、参道を戻って行かずに、正吉のいた茶店の方角へ去ったからではなかったか。

「それにしても、源さん、町人の子の宮参りに、侍がついてくるというのはおかしかないか」

「それがおかしくないのです。越前屋の女房は早百合といって、実家は本所割下水の旗本、磯貝求女と申す仁が兄に当るそうで……」

「旗本の娘が商家へ嫁入ったのか」

「そのあたりの事情は道々、お話しします。とにかく、浅草橋までお出でになりませんか」

あてもなく走り廻ったところで、正吉がみつかるものでもない。

それよりも、あの日、同じ刻限に深川八幡の境内にいた越前屋の主人と母親が斬殺されたというのは、なにかひっかかるものがあった。

源三郎に東吾、長助もついて、まっしぐらに浅草橋へ向った。

越前屋彦右衛門とその母親、お源の死体はまだ番屋においてあった。

死体を改めて、東吾は息を呑んだ。二人共、右の肩先から見事な一太刀である。

「石置場の産婆と、同じとは思いませんか」

源三郎がささやき、東吾も声をひそめた。

「それだけじゃない。よもやと思って源さんにいわなかったのだが、俺がこの斬り口をみるのは、これで三度目だ」

「狸穴の一件ですか」

以心伝心で、源三郎の反応は早い。

「実は、そんな気がしたんで、東吾さんに御足労願ったんです」

生きた心地もなく番屋のすみにひかえていた越前屋の番頭を呼んで訊いてみると、昨夜、彦右衛門と母親が出かけたのは日の暮れ方で、行った先は日本橋の知り合いの医者のところだったという。

「こちらにお出での宗庵先生のところで……」

番頭の隣にいた小柄な医者が恐れ入って頭を下げた。

「昨夜の、越前屋の用事は、なんであった」

源三郎の問いに、

「実は、アザについてお訊きにみえたんでございます」

「アザ……」

「はい、あまり大きな声では申せませぬが、今度、越前屋さんに御誕生になった総領のお子が足に赤アザがおありとか」

右足の甲から足首にかけて、かなりな赤アザがあるという。

「左様なアザは、親兄弟など身内にこれまで一人もなかったのに、子供の体にあるというのはおかしくはないかとのお訊ねでございました」

「成程」

「手前は、アザと申すものは親兄弟、先祖数代にさかのぼって身内に一人も居らずとも、たまたま生ずるもので、殊《こと》に赤児の時のアザにはお産の時に生じたものもあり、成長に伴って消えるか、薄くなる場合が多いとお話し申しました」

「それだけか」

「はい、お二人が手前共を出られましたのは五ツ（午後八時）をすぎて居りましたか」

初更《しょこう》である。ぼつぼつ夜が更けて、人通りの少くなる頃であった。

越前屋母子の殺された場所は、宗庵の家からさして遠くない大川のふちの空地だという。

「下手人は越前屋母子をつけて来たのかも知れませんな」

番屋を出てから源三郎がいい、東吾が訊ねた。

「源さんは、正吉と越前屋を結ぶものに赤ん坊を考えたのか」

「越前屋では、お内儀《ないぎ》が嫁いで来て五年も子宝に恵まれず、そのために、姑のお源から離別の話も出ていたそうです」

嫁《か》して三年、子なきは去る、の時代であった。

「彦右衛門は一人っ子で、子供がないとなると、跡継ぎに困ります」

「しかし、商家ではないか」

武士ですら、いざという時は養子縁組をして、家を守る智恵がある。

「越前屋は、お内儀の実家を、もて余していたようなところがありますな」

磯貝家は旗本で千五百石だが、

「当家の求女殿は親の代から無役で、内情はかなり苦しいということです」

早百合が武士の娘でありながら、越前屋へ嫁入りしたのは、実家の火の車を助けるためで、

「越前屋の番頭が申すには、内儀の嫁入りの時に仕度金としてかなりまとまったものが磯貝家へ渡されたそうですが、その金を使って役付になろうと上役に奔走した求女殿は結局、うまく行かず、その上、労咳《ろうがい》にかかられて、家は傾く一方とのことです」

嫁の実家からは、しばしば無心が来ていたようだし、最初は家柄に惹かれて嫁にもらった越前屋も近頃は磯貝家を疫病神のように嫌い出した。

「越前屋のお内儀は、かなり前から実家へ帰って赤ん坊を産んで居ります。その赤ん坊は本当に早百合の産んだものでしょうか」

「赤ん坊の足には赤アザがあったのか」

「治兵衛と申す植木職人の赤ん坊が生まれた時、おとせさんが手伝いに行っていたそうですね。とすれば、正吉はおとせさんと一緒に何度か赤ん坊をみているのではありませんか」

赤ん坊に湯をつかわせる時、襁褓《おむつ》をとりかえる時、傍に正吉がいたら、赤ん坊の足の赤アザは正吉の眼に焼きついている筈だ。

「正吉は利発な子です。よくよくのことがない限り、無鉄砲にとび出すとは思えません」

二人の足は、すでにまっしぐらに大川端の「かわせみ」へ向っていた。そこには、おとせが生きた心地もなく、我が子の安否を気づかっている。

「一つだけ、合点が行かないんだ。もしも、治兵衛の赤ん坊を奪って行ったのが、磯貝求女だとして、そいつはどうして、治兵衛の家に生まれたばかりの赤ん坊がいると知ったのだ」

本所と青山は、あまりに遠すぎる。

「なにかで、磯貝が青山へ来ていたと……」

「それにしても……」

あっと東吾が声を上げた。

おとせの身を案じて、狸穴の方月館へかけつけた東吾に、方斎の語った言葉が甦った。

方斎は最初、青山の表具師の許へ寄る心算であった。それが出来なくなったのは、植木屋の店先で珍しい仁と出会って、つい、話がはずんで時間をとったためである。

その人物は、方斎の供をして植木を運んで行く治兵衛とおとせのやりとりを耳にしていた。

「源さん、青山と本所と、どうやら糸がつながったぞ」

「かわせみ」には思いがけず、方斎が到着していた。

「正坊が行方知れずときいての、わしが参っても、なんの助けにもなるまいが……」

方斎にとっても、孫のように可愛がっていた正吉のことである。

「それと、今一つ、どうにも気になってならぬことがある」

「先生は磯貝求女を御存じではありませんか」

方斎の顔色が変った。

「やはり、貴奴なのか」

「先生が青山の植木屋でお会いになったのが磯貝ならば、です」

「そうだ、あの日、わしは磯貝求女にあった」

方斎がまだ狸穴に隠棲する以前、岡田十松の道場で、旗本の子弟に稽古をつけていた時分、その中に磯貝求女がいた。

「稽古熱心で太刀筋もよかった。ただ蒲柳《ほりゅう》の質であることが心にかかっていたが……」

源三郎がおとせに訊いた。

「治兵衛の赤ん坊は右足に赤アザがあったのではありませんか」

うつむいていたおとせが、顔を上げた。

「それを、どうして……」

「正吉は、そのことを知っていたな」

「はい、薬をつければ治るのかと、何度も心配そうに、私に訊ねましたから……」

青山の事件から本所の磯貝求女へ一本の、糸がぴんと張った。

だが、相手は旗本である。町方がふみ込むわけには行かない。

「急ぎませんと……奴は自暴自棄になっています」

おそらく、越前屋母子が、早百合の産んだ赤ん坊に疑惑を持ったのを知って斬殺したに違いない。

「正吉は……」

いいさして、おとせは泣き声を袂《たもと》に包んで部屋を出て行った。

あの日、深川八幡の境内で、正吉は足に赤アザのある赤ん坊をみた。おそらくは、茶店で磯貝兄妹が赤ん坊の襁褓をかえでもしたか、早百合が抱き直した時にでも裾がめくれて赤ん坊の足がみえたか。

正吉はそれが治兵衛の赤ん坊に違いないと思い、咄嗟《とっさ》に磯貝兄妹のあとを尾《つ》けた。が、逆に磯貝求女に気づかれて拉致《らち》された。

ならば、今日まで正吉を生かしておくかどうか。

「唯一の頼みは、正吉が利発で、可愛い盛りということです。磯貝とて、鬼畜ではありますまい」

東吾は心を決めていた。

「手前が磯貝家へ乗りこみます」

場合によっては、求女を斬る。それでも正吉が生きていなかったら、おとせに対して申しわけの立たない東吾であった。

「わしも行こう」

方斎が気短かに立ち上った。

「わしなら、貴奴も会わぬとはいえまい」

四

本所割下水の磯貝家は、外からみても零落が著しかった。築地塀《ついじべい》は崩れかけているし、門は傾いている。

くぐりを入ってみると、庭の荒れ方がひどかった。奉公人もいないのか、いても手が届かないものか、草は伸び放題で、植木の手入れも年久しくしたことがないようであった。

それでも、どこかに桜樹があるのだろうか、山桜らしい花片が吹きとばされて玄関に続く踏み石の上に散りこぼれているのが、この荒れ屋敷に僅かな人心地を感じさせる。

方斎が訪《と》うと、若い女が出て来た。東吾はすでに庭伝いに奥へ行っている。

女が取次いで、磯貝求女が出て来た。年は三十五、六、色白の、女にしてもいいような美男である。

「これは、先生」

不意の来訪に解《げ》せぬ顔をしながらも、やむなく客間へ招じ入れる。

思いがけず、すぐ近くの部屋で赤ん坊の泣く声がして、それをあやす少年の声が重なった。

正吉、と轟く胸を方斎は咳ばらいにまぎらわした。

赤ん坊は泣くのをやめている。

さりげなく、方斎は磯貝求女を眺めた。明らかに、彼は赤ん坊の泣き声に動揺していた。

気がついてみると紋服を着ている。

「どちらか、お出かけか」

方斎が訊ね、求女は、

「実は、妹の嫁ぎ先に不幸がござって……」

ぎこちなく答えた。

「それは悪しい折に……」

廊下の障子が開いて、先刻の女が茶を運んで来た。髪形が町方風で、やはり紋付に丸帯を締めている。

「妹の早百合でござる」

兄のひき合せで、そっと手をついた顔が、やつれていた。そういえば、求女の顔も暗い。

「それでは、越前屋へ嫁がれたとか申す……」

「先生は、よく御存じで……」

求女の疑問を方斎は無視した。自分の役目は兄妹をこの座敷に釘づけにしておくことである。

「妹御には、先頃、男子御出生だそうだが」

早百合がうつむいたまま、かすかに頭を下げた。

「取り上げ婆は、本所のおときとか申す産婆ではござらぬか」

兄妹の上に、鋭い緊張が走った。

「ついでながら、妹御のお産みなされた赤児には、右足に赤アザがござらぬか」

求女が中腰になり、方斎はかつての弟子を悲しい眼でみつめた。

不意に障子に小石が当って、はねかえる音がした。その合図を待っていた方斎であった。

座を立ちかける求女へ、なんでもない声でいった。

「青山の植木屋治兵衛の倅《せがれ》にも、右足に赤アザがあったが……」

障子の外で、さわやかな東吾の声が聞えた。

「先生、正吉と赤ん坊が待って居ります。ぼつぼつ、お帰りになりませんか」

求女がとび上って、障子を開けた。

東吾は背中に赤ん坊をくくりつけ、正吉の手をひいて立っていた。

「おのれ……」

抜刀しかけた求女に早百合がすがりついた。

　方斎がゆらりと立ち上った。

「そのほうたちの心根、不愍《ふびん》と思わぬではない。だが、子を奪われ、妻を殺された者の心、思いやってみよ。百姓とて、犬猫ではあるまい」

老剣士の声に慈愛が滲《にじ》み、それが不幸な弟子の抵抗を奪った。

「正吉と赤ん坊を、もろうて行くぞ」

方斎が部屋を出て、正吉を抱き上げた。そのあとから東吾が続く。

無造作に立ち去るようで、二人の後姿には鉄壁のかまえがあった。

磯貝家の門の外には、畝源三郎が待ちかまえていた。深川の長助も、少し、はなれて、おとせとるいが固唾《かたず》を飲んで見守っている。

正吉を抱いた方斎が、続いて、赤ん坊を背中にしょった東吾が出てくると、なんともいえない声が上って、双方からわあっと走り寄った。


「まあ、東吾様が赤ん坊をおぶった恰好ったら、そりゃまあ、お似合いでね、その時はあたしもおとせさんも夢中だったから、なんともなかったけど、あとで思い出したら、もう、お腹が痛くって……」

数日後の「かわせみ」の、るいの居間で、憮然としている東吾を前にして、るいがもう何度目かの笑い声をたてた。

おとせと正吉は方斎と共に狸穴へ帰って、久方ぶりに水入らずのるいの部屋である。

「でも、気の毒ですねえ。治兵衛さんは、おかみさんに死なれちゃって、赤ちゃんを抱えて……」

火桶の炭を足しながら、お吉は他人事《ひとごと》でない口ぶりである。

「いずれ、後添えをもらうだろう。子供の好きな、気のいい女をみつけることだ……」

「殿方って、すぐ、そうなんですよね。跡継ぎが残っていれば、おかみさんはいくらでも後釜が待ってるみたいに……」

るいが唇をとがらし、東吾が苦笑した。

「そんなことはない」

「そうですよ。越前屋さんだって、あんまりじゃありませんか。いくら、お内儀《かみ》さんに子供が出来ないからって、離別するなんて人馬鹿にして……」

ふっと、るいがだまり込んだのは、夫婦同様に暮していて、いまだに東吾の子供が産めない我が身を思いくらべたので、それに気づいた東吾が陽気に続けた。

「そこへ行くと、俺なんぞ、亭主の鑑《かがみ》だぞ。もしも、るいが俺より先に死んじまったら、俺は坊主になってやる」

「嘘ばっかり……」

「どこか静かなところへ庵《いおり》を結んで、終生、お前の菩提《ぼだい》をとむらってやるから、安心して成仏しろ」

「きれいな尼さんが放っときゃしませんよ。あたし、化けて出てやるわ」

痛いの、つねったのとおだやかでない声が傍若無人で、お吉は炭箱をつかんで、あたふたと部屋をとび出した。

なんにしても、東吾が、「かわせみ」に来ていれば天下は泰平である。

更に二日おいて、東吾は兄に呼ばれた。

「本所の義父《ちち》上が、お前をよこすようにとお使があった」

行って来いといわれて、東吾は大方の見当がついた。

麻生源右衛門は西丸御留守居役である。おそらく、磯貝求女の処分がきまったものと思われた。

小名木川に近い麻生家へ行くと、源右衛門は机に奉書をひろげて筆をとっていた。東吾をみると、筆をおいて、奉書を丹念に折りたたむ。

「磯貝は切腹したよ」

役目によって、源右衛門が彼を呼び出し、三件の殺人に関して調書を取り、処分が決るまで謹慎を申し渡した直後、屋敷へ戻って腹を切ったという。

「不愍なことに、妹も後を追って自害して居った」

武士としては、それが当然と思いながら、東吾も暗然となる。

「磯貝が申すには、最初から他人の赤ん坊を奪って殺そうとしたのではなく、早百合どのはまさしくみごもって、磯貝家へ戻って出産したのだそうだ」

だが、その赤ん坊は二十日あまりで急死した。

半狂乱になった妹を眺め、窮地に立った磯貝求女は、かわりの赤ん坊探しを思い立ったものである。

「成程、産婆を殺したのは、赤ん坊がとりかわったことを気づかれないためでしたか」

求女が奪って来た赤ん坊には、運の悪いことに足に赤アザがあった。産婆の眼をごま化すのは不可能である。

「越前屋母子は、最初の出産の時、祝いに来て赤ん坊に対面しているが、着衣のままだったから、足のアザの有無はわかるまいと思っていたそうだが……」

直感というものだろうか、お宮参りの時に改めてみた赤ん坊に、越前屋母子はなにかしら違うものを感じたらしい。

「もともと、他人の子をもって、我が子と詐《いつ》わるのは無理じゃ、無理が無理を呼んで殺生を重ねることになった」

兄妹の自裁によって、磯貝家は断絶になるだろうという。

話をきいて、東吾が帰りかけると、源右衛門が先程の奉書を出した。

「聟どのに、これを届けてくれ」

老人が顔をくしゃくしゃにした。

「名前じゃよ。やがて生まれる神林家の孫の名をいくつか思案してみた。良いのがあったら、とわしがいっていたとな」

奉書を懐中にして、東吾は兄の屋敷へひき返した。

居間では、通之進が珍しくくつろいで、兄嫁に冗談をいっている。

いささか、照れながら、東吾は麻生源右衛門の口上を伝え、奉書を手渡した。

驚いたのは、兄夫婦が、あっけにとられた顔を見合せたことである。

「お前、子供が出来たのか」

「るいさんに、赤児《やや》さんが……」

同時に訊かれて、東吾はまっ赤になった。

「いえ、手前ではありません。兄上と義姉上のお子のことです」

「香苗、出来たのか」

おっとりと兄嫁がかぶりをふった。

「いや、しかし、義姉上はこの前、蜜柑をいくつも召し上って……」

雛祭の夜、七重と話し合ったことを、仕方なく、ぶちまけると、居間は香苗の笑い声で一杯になった。

「馬鹿者。なにもわからぬくせに、知ったかぶりをする奴があるか」

弟を叱りながら、通之進が奉書をそっと手文庫にしまうのを、東吾は見ない顔でちゃんと見届けていた。

夕陽のさしている庭に、染井吉野が漸《ようや》くの三分咲きである。

本書は一九八六年六月に刊行された文春文庫「狐の嫁入り　御宿かわせみ6」の新装版です。

文春文庫

狐《きつね》の嫁《よめ》入《い》り　御宿《おんやど》かわせみ6

定価はカバーに表示してあります

2004年10月10日　新装版第1刷
2014年9月25日　第7刷

著　者　平《ひら》岩《いわ》弓《ゆみ》枝《え》
発行者　羽鳥好之
発行所　株式会社 文藝春秋

東京都千代田区紀尾井町3-23　〒102-8008
TEL 03・3265・1211
文藝春秋ホームページ　http://www.bunshun.co.jp

落丁、乱丁本は、お手数ですが小社製作部宛お送り下さい。送料小社負担でお取替致します。

印刷・凸版印刷　製本・加藤製本

Printed in Japan
ISBN978-4-16-716887-2